生成AIは日本をどう変えるか

デジタル社会の罠

Nishigaki Toru
西垣通

毎日新聞出版

はじめに

静かにベッドに横たわり、眼をとじて考える。もし、視覚や聴覚をはじめ、五感をシャットアウトされたら、私の世界はどうなるだろうか。

人間は感覚器官によって周囲環境とコミュニケートしている。このコミュニケーションが生き物の内面世界を創っているとすれば、感覚を絶たれたら世界は消滅するのだろうか。

――むろん、そんなことはない。暗い寝室にいる私は、自分の心のなかで極彩色のイメージやさまざまな言葉が、烈しく波打っている有様をいきいきと感じている。単に過去の記憶がつくる追想だけではない。それは未来にたいする鋭い不安の形象なのだ。

そんな不安をかき立てられるのは、たぶん私だけではないだろう。すべての現代人が否応なく、おなじ不安のなかに引きずり込まれている。不安をもたらすものの核心に現代科学技術があることは間違いない。わかりやすい例をあげれば、なにしろ最高度の知性が原水爆をうみだし、さらに核汚染物質を地上にたれ流しつづけてきたのだから。

科学的知識を否定するつもりはない。理系の専門教育をうけ、コンピューターの研究に従事した私だから、いかなる宗教的理念より科学技術の方法論を信奉している。とはいえ、だからといって、科学技術が人類を進歩させ明るい未来を拓く、とひたすら信じこむ小児病的な楽天家にはどうしてもなれない。

「人新世（anthropocene）」という地質学的概念は、いったい何を示唆するのだろうか。数十万年前に偶然うまれた人間という生物が、たかだか数百年前に誕生した近代科学技術を乱用して、四十億年ちかく続いてきた生命環境に深刻な打撃をあたえているという事実ではないのか。

とりわけ私の神経に突き刺さっているのは、デジタル技術の白眉として賞賛されているインターネットとＡＩ（人工知能）の、ここ二、三十年の発達普及という出来事なのだ。なぜならそれは、下手をすると、科学技術の暴走を防ぎうまく活用するための人間の判断力そのものを、致命的に麻痺させる魔力を持っているからである。にもかかわらず、目先の利益追求に狂奔するエリートたちは、決してそういう危険を直視しようとしない。

本書は、われわれを襲う悪夢からいかにすれば覚醒できるかを模索する、老いた情報学者の思考の小さな軌跡である。

＊

第Ⅰ部と第Ⅱ部はそれぞれ、毎日新聞夕刊につづったエッセー「科学技術と人間」ならびに「読書日記」の転載である。前者は二〇二一年四月から二〇二三年三月、後者は二〇一八年四月から二〇年九月に毎月一回掲載された。

第Ⅰ部「科学技術と人間――知の土台に向かって」は文字通り、現代の科学技術と人間との関係がテーマである。ここで一言断っておこう。科学技術の進歩発展のスピードは異常なほど速い。先端の知識をできるだけ踏まえて書いたつもりだったが、掲載時から時間がたつと記述が古臭くなったり、正確でなくなったりすることもある（例えば、コロナ・ウイルスは当初飛沫《ひまつ》感染だと言われていたが、その後エアロゾル感染説が有力となった）。しかし、本書では、掲載時の記述に原則として手を加えないことにした。めまぐるしい変化の細部にこだわるとかえって議論が分かりにくくなるし、肝心なのは大局的な動向だからである。

むしろ、問うべき問題を掘り下げるためには、時間・空間とも視野を広げることが大切なのだ。それで小説などのフィクションもふくめ、古今東西の書物を紹介しつつ、科学技術的思考の深層をさぐったのが第Ⅱ部の「読書日記――さまざまな言葉の響きから」に他ならない。一見関係ないようでも、すぐれた興味深い書物にふれると、思いがけない視界がひらけ、かくされた論点が浮かんでくることもある。読者諸賢が、第Ⅱ部で紹介した書物をひもとく気持ちになっていただければ嬉しい。

第Ⅲ部「生成ＡＩは汎用知になるか――情報・自然・無常」は、第Ⅰ部とⅡ部の議論をふまえて、ひとまず統括をこころみた総論である。そこには、連載で扱うことができなかった科学技術の最新のトピックス、とくに「生成ＡＩ」に関する議論をまとめた。

代表格は対話型ＡＩのチャットＧＰＴである。これはユーザーの質問にたいし、ＡＩが直ちになめらかな文章を生成してこたえてくれる対話型のデジタル機能だが、マイクロソフト社によって採用され、二〇二二年末の発表後わずか二カ月ほどで一億人のユーザーを集めた。今なお世間の圧倒的な注目をあびていると言ってよい。遅れまいとすぐさま、グーグル社も同様の対話型ＡＩを発表し、競争は激化しつつあるようだ。ただし、生成される文章には誤りも含まれており、フェイク情報の拡散など、懸念される副作用も多い。米国では専門家をふくむリーダーたちから、普及にともなう混乱を防ぐため開発を一時中断せよという批判の声があがった。またＥＵ（欧州連合）では、以前から、人権を守るためＡＩ応用技術の過度の利用を法的に規制しようという動きがある。いずれにしても、真剣に議論すべき技術であることは確かだ。

ところで日本ではどうだろうか。――率直に言ってこの国では、そういった批判的議論が本格的になされているとは到底思えない。むしろ日本のデジタル化は決定的に遅れており、欧米や中国などの諸国に追いつくため全力疾走せよ、生成ＡＩもうまく活用せよ、という威勢のよい掛け声ばかりが響いてくる。二十世紀末には米国につぐコンピューター技術のレベルを誇っていたのに、今や国際的にデジタル後進国と位置づけられてしまったのだから、関係者の無念は理解できる。ＤＸ（デジタル変革）やメタバースの実現を急げと叫ぶ気持ちを、私も分からないわけではない。

だが、日本のデジタル化の遅れの背景には、単に技術だけでなく、より深い原因が潜んでいるのではないか。そこに目を向けず、トップダウンで掛け声をかけるだけでは事態は好転しない。この問題については拙近著『超デジタル世界――ＤＸ、メタバースのゆくえ』（岩波新書、二〇二三年）で述べたので詳細は省略するが、要するに米国と日本との文化的差異が主な原因なのだ。

米国は個人主義の大規模なオープン社会であり、ボトムアップのネット処理に向いている。一方、日本人は歴史的に「民は由《よ》らしむべし、知らしむべからず」というトップダウンの統治のもと、小規模なムラ社会つまりクローズド（閉鎖的）な共同体で暮らしてきた。それゆえ、自己責任のオープンなネット処理にはどうしても警戒心を持ってしまう。マイナ保険証をはじめ、焦って性急にデジタル化を進めると、ひどい社会的混乱を招く恐れもある。さらに、共同体からはじき出された人々による匿名の誹謗《ひぼう》中傷や犯罪情報がネットに氾濫する危険も大きい。

明治開国以来、この国は西洋科学技術の従順な受容に専心してきた。受容のしかたは巧妙かつ表面的なもので、「和魂洋才」という理念に集約されている。ところが、こと「社会全体のデジタル化」であるDXについては、和魂洋才の戦略だけではうまくいかない。処理が生活の細部にまで浸透してきて、一般人の価値判断まで左右するからである。

つまり、遅れていると言われるデジタル化を進め、この国で望ましい社会を建設するには、米国の猿真似ではなく、一歩踏み込んで考える必要が絶対にあるのだ。近代科学技術の奥底にある、宗教的・哲学的な背景をも洞察しなくてはならない。根本的には、「自然（nature）と人間の関係」を問い直すことが鍵となる。

古来、ユダヤ＝キリスト教と仏教とでは、自然というもののとらえ方が全く異なっていた。科学は自然を対象にするのだから、そこで文化的に亀裂が露呈するのは当然である。こうして例えば、ＡＩや脳科学のアプローチがはたして「心の解明」さらには「心の製造」にまでつながるかどうか、といった汎用《はんよう》知をめぐる問いが具体的に顕在化してくる。デジタル社会で蔓延《まんえん》するのは心の病だから、この種の難問を放置することはできない。第Ⅲ部では、生成ＡＩが二十一世紀日本をどう変えるかについて考察していこう。

目次

II

読書日記——さまざまな言葉の響きから

1　人間のモノ化に抗う

2　科学の限界を知る

III　生成AIは汎用知になるか——情報・自然・無常

デザイン　戸塚泰雄（nu）

I　科学技術と人間

——知の土台に向かって

1

ＡＩの論理をえぐる

情報とは何か

生きる上で大切な「意味」

二〇二五年より、大学入学共通テストの試験科目に「情報」が追加されるという。情報学を専攻する者としては正直いって嬉しい。ただ少し気にかかるのは、情報という概念がデジタル技術の枠内でしか扱われないのではないか、という疑問点なのである。

先日、ある高名な学者の講演を聴いていたら、「不確定性を減らすものが情報です」と断言されたので落胆した。通信工学的には正しいし、私も学生時代、そう教えられた。しかし、これは一九四〇年代に情報量を求めるために提唱された定義で、あまりに狭すぎ、時代遅れだ。情報量の計算式も、デジタル信号のような記号データの機械的処理にしか通用しない。

飛行機の搭乗時刻や野球の試合の勝敗など、分からないことを確定するニュースのようなものが情報だという考え方はむろんある。だが考えてみよう、テレビのCMの情報は単に商品名を伝えるだけだろうか。既に名前を知っている商品でも、上手なCMを繰り返し視聴するうちにイメージが心に染みつき、つい買ってしまったりする。それがCMの狙いだ。また、ネットから配信されてくる音楽や映像は情報ではないのか。感動を呼ぶ旋律やイメージ、それらは単に不確定性を減らすだけではないのだが、立派なデジタル情報である。さらに、SNS（ネット交流サービス）で交換される諸意見もみな情報。だからこそ、現代は情報社会と呼ばれるに値する。

時代に即して新しく定義するなら、情報とは何らかの「意味」を持つもの、ということになるだろう。記号が表す辞書的な内容が意味だと考えがちだが、より広くとらえると、意味とは「価値」であり「重要性」のことだ。「意味がない」とは、価値がないことに等しい。重要な意味のあることを伝えてくれるからこそ、情報は不確定性を減らすことができるのだ。

ここで肝心なのは、いったい「誰にとって意味があるか」である。自分に無関係な飛行機の搭乗時刻は情報ではない。だから情報とは、客観的・普遍的なものというより、本来は個人ごとに異なる主観性を持つ。生きていく上で大切な存在が情報なのである。こういう発想を徹底すると、意味とは、したがって情報とは、「生きること」と不可分だと分かってくる。要するに情報と生命活動は一体なのである。

このことは、コンピューターで処理される機械的存在が情報だ、という常識に反している。だがデジタル技術は、情報を担う記号データを効率よく操作しているに過ぎない。ＡＩ（人工知能）ロボットは、いかにも言葉を話せるように見えるが、実は言葉の意味など全然理解してはいない。表向き人間と会話ができるふりをするよう、巧みにプログラミングされているだけなのである。

「ロボットと恋ができますか？」と質問する人がいる。そんな人にとって、ロボットの優しい言葉はちゃんと意味を持ち、心を慰めてくれる。だから、むろん恋愛の対象になるだろう。だがロボットの方が恋してくれることは決してない。

ＡＩ研究者の中には、こういう見解に猛然と反発する人たちがいる。彼らは、人間も一種のデータ処理機械だと考えており、ロボットも人間も同質だと断定する。そして二十一世紀は人間とロボットが「共生」する時代だと高らかに宣言するのである。彼らと一生懸命に議論しても平行線なのは、そういうＳＦ的妄想が、彼らの強固な信仰そのものだからだ。

信仰の自由は尊重したいが、一つだけ強調しておこう。人間がデータ処理機械だという主張は、もともと主観的で流動的なはずの「意味」を固定し客観化してしまう。そして結局、多数の人々を上から目線で支配する専制と格差を招くのだ。

せっかくのＡＩロボット技術が、陰湿な支配のための道具となるのは悲しい。何かうまい解決策はないものか……。

「情報」の入試問題が若い人たちに、プログラミングだけでなく、そんな難問を考える機会となることを、心から願う。

宇宙開発と「生命誕生の謎」

悪夢か、抗争を超える共感か

以前、宇宙開発の目的がよく分からないと書いたら、知人の生物学者から「生命誕生の謎解き」という学術的な回答をもらった。

なるほど、三十、四十億年前の火星にはかなりの水があったようだし、探索で生命が発見されればこれは大ニュースだ。日本の探査機はやぶさ2が持ち帰った小惑星リュウグウの岩石も、生命誕生の謎を解く手がかりになるかもしれない。広大な宇宙にはいろいろな星があるから、多様な生物がいる可能性はある。

そもそも「生命とは何か」は、あまりに深遠なテーマだ。生物学的に定義すると、「膜がある、代謝する、自己複製しながら進化する」といった諸性質を持つ物質が生物ということになるのだろう。情報学的には生物とは、周囲環境の事物を意味づけし、自分の価値ルールで循環していくシステムのこと。要するに、善く言えば自律的、悪く言えば自分勝手に存続していくのが生物なのだ。

生命現象を問いかけていくと、まだ科学的に分からないことだらけである。ゆえに、無機的要素から生物を創作することは先端技術を駆使してもまことに難しい。だが、もし宇宙の探索によって生命発生の基本メカニズムについて手がかりが得られれば、これはもうノーベル賞をしのぐ大成果と言えるだろう。

というわけで、宇宙開発の意義についてひとまず理屈はつくのだが、よく考えると、問題はなお残っている。学術的には興味深いにせよ、生命発生の謎を解くとは、いわばパンドラの箱を開けるようなものではないのか。中途半端な謎解きによって、現在の「人新世」がかえって一段と深刻さを増していく、という恐れは決して拭えない。

人新世というのは、人間の活動がもたらした新たな地質年代のこと。二十年あまり前に大気化学者や生態学者が言い出し、地球環境汚染と関連してよく引用される。具体的には、温室効果ガスによる異常気象、海洋のプラスチック汚染、資源開発のための森林破壊など、科学技術の副作用によって地球の姿そのものが変わりつつあるわけだ。

人類が生命発生の謎を解いたとき、また新たな副作用が心配される。一番分かりやすいのは、フランケンシュタイン博士のような、どこかのマッドサイエンティストが、恐ろしい怪物を人工的に創りあげるという悪夢だろう。人工知能とは違って相手は生きているのだから、どういう意図を持ち、どんな行動をするか予測できない。さらに怪物が次々に増殖していくとすれば、いったい何が起きるのか……。

むろん、そんなB級SFまがいの悪夢は悲観的すぎるという声もある。生命発生のメカニズムが分かってくれれば、医療への応用の道もひらけ、克服できる難病もふえると考える研究者は少なくないはずだ。

とはいえここで、宇宙開発と生命探究の結びつきがもたらす、別の脅威を指摘しておこう。それは、他の星から探査機が持ち帰った試料のなかに、われわれ人間がまだ認知分析できないような、不思議な「危険生物」が紛れ込んでいないか、ということだ。

何しろ、他の星で進化してきた神秘的な生き物である。既存の生物学の分類表からはみだしている恐れもある。さらに、生き物というのは概して、周囲を侵略しながら勢力範囲を拡大していくから、その潜在的脅威は新型コロナウイルスの比ではない。困ったことに、相手の物理化学的な性質さえ定かではないのだ。そんな脅威といかに戦えばよいのか。これは、人工的に合成したフランケンシュタインの怪物より、もっとタチが悪い。

しかし、だ。こうした危険を冒しても人類が宇宙をめざすことが、生命誕生の単なる学術的探究とは違う何かをもたらす可能性はある。

はるかに光る青い星。それが自分を育てた懐かしい地球なのだという直感……このときホモサピエンスの精神に、地上の抗争を超越する新たな宇宙的共感が芽生えることはないのだろうか。

立花隆『宇宙からの帰還』を読む

特異な体験に知の光明探る

本棚を整理していると、鬼籍に入った著者の顔が眼前にうかぶ。二〇二一年に亡くなった立花隆さんとは、東大で教えておられた頃、いろいろお話ししたことがある。高名なジャーナリストなのに非常に丁重で、真摯《しんし》な態度が印象に残った。

言うまでもなく立花さんは一九七〇年代、田中角栄研究で一挙に頭角をあらわした。綿密なデータ調査にもとづく金権体質の仮借なき分析が、総理退陣につながったという指摘もある。

他方、立花さんの仕事が、政治にとどまらず理系の分野に及んでいたという点も広く知られている。とりわけ、脳死をめぐる論点の分析や、宇宙開発への興味と知識は並のものではなかった。科学技術の最新動向をただ分かりやすく紹介するだけではなく、人間全体の問題として捉えようとしていたのである。本欄で宇宙開発の意義について疑問を投げかけたが、ここで『宇宙からの帰還』（中央公論新社、一九八三年）にふれないわけにはいかない。

この本は立花さんの代表作の一つであり、八一年に米国を回って宇宙飛行士十二人にインタビューした結果をまとめたものである。宇宙旅行という特異な体験によって彼らが内的にどんな変化をこうむったたか、なぜ彼らの意識は変わったのか、という根本的な問いかけを行ったのだ。

実際「宇宙体験をすると、前と同じ人間ではありえない」という発言も聞かれた。それほど強烈なインパクトを受けたのである。一種の宗教的な衝撃とさえ言えるかもしれない。端的には、宇宙飛行士たちは「神の眼」を持ってしまったのだ。だから中には帰還後、ファンダメンタリズム（科学的学説より聖書の教えを優先する保守的キリスト教の一派）の伝道師になった者もいた。月面に降りたとき、神の臨在を実感したというのである。

もともと米国ではキリスト教信仰が盛んだし、立花さんがインタビューした宇宙飛行士は全員アメリカの白人男性だから、文化的偏りは否定できない。遠い地球の姿を眺めてイエス・キリストを連想したのは、ごく自然な反応だっただろう。

だが、それだけでない点が興味深いのだ。多くの宇宙飛行士が、キリスト以外の神の存在も認め、アラーもブッダも同じ神の違う名前にすぎないと述べている。「同一の至高の存在」が神であり、どの宗教もよきものだ、というのだ。そして、地上の国家間の対立抗争はバカげており、人間は小さなエゴを離れなくてはならないと強調する。

宇宙から地球を見たとき世界の意味に気づいたというエド・ミッチェルは「神的なプランがある。そのプランは生命の進化である……すべては一体である。一体である全体は、完璧であり、秩序づけられており、調和しており、愛に満ちている……宇宙は創造的進化の過程にある」と述べている。そして「その神というのはつまるところ何なのか」という問いに対し「神とは宇宙霊魂あるいは宇宙精神である」と答えた。

こうした問答によって、立花さんは何を探ろうとしたのだろうか——。インタビューをしながら、「自分も宇宙体験がしたいと痛切に思った」そうだ。なぜなら、写真やテレビや活字で伝えられている宇宙体験と実体験はあまりにも違うと悟ったからである。同書のむすびには「(肉体が) 宇宙という新しい物理的空間に進出することによって、人類の意識がこれまで知らなかった新しい精神的空間を手に入れるであろうことは確実である」という熱い一文がある。

恐らく立花さんを突き動かしていたのは、知によって、とくに科学技術の探究によって、人類が崇高な域まで高められる、という信念ではなかったか。むろん、練達のジャーナリストが、名声や金銭、権力争いなど科学技術の研究開発をめぐる醜い暗部を知らないはずはない。にもかかわらず、科学に人類の知の光明面を見ようとしたのだ。

立花隆という人物の純粋な憧憬《しょうけい》を、私はそこに感得せずにはいられないのである。

三島由紀夫と国語改革

失敗に学び「論理性」考え直せ

「無機的な、からっぽな、ニュートラルな、中間色の、富裕な、抜目がない、或《あ》る経済的大国」――これは、一九七〇年に自決した小説家三島由紀夫が、死の直前に喝破した未来日本の姿である。周知のこの暗い予言が、昨今しきりに想起されてならない。きっかけは二〇二二年四月から実施される高校の国語改革である。

文部科学省の方針によれば、必修の「現代の国語」では小説が除かれ、選択科目も従来の「現代文A／B」から「論理国語」と「文学国語」に変わるという。前者で実用的文章、後者で文学作品を扱うらしいが、もし三島が生きていたら、なんと言うだろうか。

そもそも小説に論理はないのか、という疑問は誰しも抱く。三島が綴《つづ》った作品の中に、生の美学と論理を析出させる「論理」があったとすれば、今回の国語改革はまさに暗い予言を実現させる軽挙妄動ではないのか。

三島が自決したとき、私は大学生だった。左翼学生運動の最盛期で、三島と全共闘との対話集会もひらかれた。当時をふりかえると、やはり三島を政治的右翼と決めつけることには躊躇《ちゅうちょ》してしまう。「君たちは崇高な理想のために命を捨てる覚悟があるのか？」――そう小説家は問いかけたかったのではないか。

三島は絶望のうちに命を絶った。半世紀が過ぎた現在、日本がどうなったかを見極める責務はわれわれにある。

指摘するまでもなく、論理的に処理すべきデータ量は一挙に増した。データは二十一世紀の石油だと言われるが、ＡＩ（人工知能）など情報技術の進歩により人間の主体性は脅かされつつある。ゆえにＡＩに負けぬ論理的能力を鍛え上げよという意図自体は正しい。問題は具体的方法である。

最近の若者はきちんとものを考えないという嘆きの声は高いし、形式的な論理で解けるパズルの正答率が低いという調査結果は有名だ。これが国語改革の一因となったという噂もある。

だが、長年「情報と人間」について探究してきた者として言っておく。ＡＩに負けぬ思考力を育てるためには、数行のパズルを解く能力とは全く異なる能力を鍛えねばならないのだ、と。

なぜなら、正解のあるパズルやクイズを解くのは、むしろＡＩの得意技だからだ。ＡＩは言葉の意味を理解できないが、形式的な記号操作によって迅速に正解にたどり着くことならできる。一方、人間にしかできない論理的能力は、もっと複雑で高い次元にある。たとえば風刺や反語をふくむ長文の内容を理解し、著者の隠された真意をつかむ、といった「論理」もある。そんな芸当はＡＩには不可能なのだ。

そして実際のビジネスや対人交渉においては、表面的なデータ処理能力よりむしろ、身体的直観や共感にもとづく高度な推論や判断の能力が求められる。そういう感性や想像力を養ってくれるものこそ、小説をはじめ文学作品ではないのか。

実は、形式的な記号操作によって社会の現実問題を解決しようとした失敗例もあるのだ。第五世代コンピューター開発プロジェクトである。日本の経済が最高潮だった一九八〇年代、当時の通商産業省の主導で産官学の知を結集し、世界に先駆けた斬新なコンピューターをつくろうという野心的な試みが行われた。

巨額の費用とエネルギーを費やしたあげく、結局は実用化されずに終わった悲劇のプロジェクト。短期間だが参加した研究者の一人として、残念な記憶がある。形式的推論の効率を極限まで追求し、技術的には成功したにもかかわらず、実用にならなかった理由は、人間社会で大事な論理はパズルのような次元にはないという点を見落としたことだった。日本人はもっと過去の失敗に学ぶべきではないのか。

論理性を高める教育の重要性は言うまでもない。ただしその際「論理性とは何か」についで、より広く深く考え直してみるべきなのだ。そういう真剣な努力が、三島の恐れた亡国の危機からわれわれを救うのである。

量子コンピューターの可能性

計算の驚異的高速化と課題

量子コンピューターという文字がマスコミのあちこちで躍っている。現在のスパコンより圧倒的に高速な計算ができるというふれこみで、産業界の期待もウナギのぼり。いったい近々、ＩＣＴ（情報通信技術）が根本的に変わってしまう日が来るのだろうか。

そもそも量子コンピューターとは何ものか――それは、今のコンピューターとは全く異なり、量子力学にもとづいて作動する新しい機械である。現行機械の作動原理はニュートン以来の古典力学なので、まとめて古典コンピューターと称される。最新鋭のスマホもスパコンも皆、古典コンピューターなのだ。

周知のように、古典コンピューターの内部では、多くのデジタル・ビットが独立に0か1かの二値をとりつつ計算を行う。ところが、量子コンピューター内部の量子ビット同士は、物理的な量子効果によって、互いに重なり合ったりもつれ合ったりする。計算過程で複雑な組み合わせが生まれ、内部状態数が一挙に増す。量子ビット同士のこうした相互作用のお陰で、計算効率が桁違いに上がるのである。

量子コンピューターの原理が確立されたのは一九八〇年代半ばのことだが、その後の進歩はたいしたものだ。古典コンピューターの研究開発しか経験のない私には、実にまぶしく見える。ことに九四年の、整数の素因数分解を高速実行する量子アルゴリズムの発明は衝撃的だった。なぜならそれは、現在用いられている暗号通信を脅かすと思われたからである。暗号解読の難しさは、素因数分解に天文学的時間がかかるからなのだが、量子コンピューターを使えばどんな機密文書もたちまち解読可能となってしまいそうだ。抜本的防止策として、ネット向けの新型暗号も検討中と聞く。

ただしどうやら当面、心配は無いらしい。現行の暗号を解読するには数千個の量子ビットからなる大規模な量子コンピューターが必要になるが、このとき計算の途中で誤りが多発するからだ。

古典コンピューターでも計算過程で誤りは発生するが、その都度訂正すればよい。ところが、量子ビットの場合、正誤判定のための測定行為によって量子の重なり状態が変化してしまう。だから量子コンピューターで測定できるのは、あくまで計算が最終的に完了した時点の値だけなのだ。

この「観察者効果」という点はきわめて本質的である。二十世紀初めに物理学者ハイゼンベルク（一九〇一～七六年）が微小な対象の位置と速度をともに精密に測定するのは不可能だと述べ、これが情報という存在をクローズアップしたことは有名である。情報取得（観察）によって、対象が乱されるのだ。

という次第で、誤りの訂正は量子コンピューターの最大の課題である。これをうまく解決しない限り、暗号解読だけでなく多様な応用分野で、量子コンピューターが古典コンピューターをしのぐことはできない。

だが誤りの訂正は簡単ではないようで、近年は誤りを許容しつつ何とか計算を実行する中小規模の量子コンピューター（ＮＩＳＱデバイス）が注目されている。たとえ実用性は乏しくても、ともかく古典コンピューターに対する量子コンピューターの優位性を実証し、世間の耳目を集めて研究資金を獲得しようという作戦か。これは「量子超越」と呼ばれている。

ここ数年、グーグルやＩＢＭなど米国企業が超電導の量子ビット数十個余りを用いた実験機で量子超越を実現し、話題を集めている。スパコンで一万年かかる計算を二百秒で実行できるとのこと。さらに中国、そして日本の研究レベルもかなり高いようだ。いずれも萌芽《ほうが》的技術とはいえ、発展性は大いにある。

ところで私は、量子コンピューターというものが、単に計算の高速化だけでなく、情報学における斬新な次元を開くのではないか、という気もする。端的には、情報という存在が、現在のデータ処理と違って観察行為と関わってくる。この点がポイントなのだ。

「観察者効果」の意外な意味

AIと異なる人間の世界認識

商用量子コンピューターを東大が導入し、幾つかの大企業と共に実用化のための研究を行っている。これは極低温の超伝導方式で、金融や新素材開発など諸分野への応用が目標。さらに常温で作動する光方式も研究中だという。

量子コンピューター内部の量子ビットは、計算過程で、現行コンピューターのように0か1かの二値を独立にとるのではなく、重なり合った複合状態をとる。この量子効果こそ、計算効率を飛躍的に向上させる秘密なのだ。だが、量子コンピューターの欠点は誤りの訂正が困難なこと。誤りチェックのため量子ビットを測定すると、重なり状態が崩れてしまう。いわゆる観察者効果である。

計算効率をあげるには量子ビットをたくさん並べる必要があるが、そうすると計算の途中でどうしても誤りが多発する。容易に誤りを発見し訂正できない点が、最大の技術的難題なのだ。

ところが、理論生物学者の郡司ペギオ幸夫は、量子コンピューター特有のこの難題が、われわれの世界認識を見直す契機になるのではないかと大胆にも期待する（『現代思想』二〇二〇年二月号）。

議論の骨子は次のようなものだ。量子ビット同士は互いに重なり、もつれ合っているので、ある量子ビットの状態を測定すると、他の量子ビットも影響を受ける。これは認知活動における局所性が成立しない、ということだ。一部の対象の状態を知ることが全体に影響を与える理由は、局所的なはずの対象が実は全体とつながっているためである。だから対象から情報を取得すると、全体像が変化してしまうのだ。

郡司はこれを「認知的非局所性」と呼ぶ。この場合、世界のあらゆる対象（個々の事物）が、潜在的には相互に関連し合っていると見なされる。人間の認識や思考は、基本的に認知的非局所性を持つ、というのが郡司の主張なのだ。そういう人間の知能はＡＩ（人工知能）と本質的に異なるので、「天然知能」と称されるのである。

現行コンピューターによるＡＩは、個々の対象をすべて独立した局所的なデータと見なして分析し、論理的に最適化をはかる。天然知能は、こういうＡＩ万能主義へのラジカルな挑戦なのだ。むろん人間の脳内活動は量子力学とは別次元にあるが、世界認識の拡大として興味深い。

ＡＩは人間のような常識を欠き、問題の枠組み（フレーム）や文脈をとらえるのが苦手だと批判されてきた。その理由も認知的非局所性の議論から少しずつ分かってくる。人間はＡＩと違い、明確に知覚し論理的に分析できる対象群のいわば「外部」に、多数の対象群の存在を薄々感じとっている。ゆえに、外部を含めた対象群のもつれ合いに対処できるのだ。

店でハンバーガーを買ってくるお使いは子供でもできるが、ＡＩには難しい。店までの道がたまたま工事中だったり、新製品が発売されたり、値引きがあったり、想定外のことが起きるとすぐお手上げになる。

ＡＩは、問題の枠組みがきちんと与えられると、データ群を局所的に処理して最適解を出す。だが世界全体がもともと客観的・論理整合的にできている保証はない。人間をふくめ生き物はそれぞれ、各瞬間に自分なりの自律的なやり方で、主観世界を創り出しつつ生きている。流動的な周囲環境の中で生きることが、自然に文脈の選定をもたらす。だからＡＩの活用は、まずアナログな人間から出発すべきなのだ。

人間は時々刻々、重要な対象を選び、文脈を決定しながら生きている。このことは、人間が認知的非局所性のもとで常に「外部」と接しながら生きている、と言いかえることもできるだろう。

量子力学は、その誕生期に、微小な存在に対する観察行為の意義を問いかけた。量子コンピューターが出現した今、計算効率向上だけを追い求めるのではなく、もう一度、人間の世界認識そのものを問いかけてもよいのではないか。

ＡＩ俳句をめぐって

創作か剽窃か、芸術の道具か

ＡＩ（人工知能）に芸術作品が創れるか、というのは古くて新しい問題である。すでに一九八〇年ごろ、米国の大学キャンパスではＡＩ創作の音楽会がひらかれ、バッハ風の曲が流れていた。バッハは真似しやすいらしく、最近も日本の研究会で同様の曲を聴かされた。「こんなの一晩で何百も作れますよ」と、威勢がいい。

絵画の方では、二〇一六年にＡＩがレンブラント風の油絵を描いて注目を浴びた。レンブラントの三百あまりの作品を読み込み、三次元プリンターで肖像画を出力したのだが、専門家も舌を巻く出来栄えだったという。

では文学作品はどうだろうか。ＡＩにとって、小説や詩歌の創作には特有の難しさがある。音楽や絵画ならパターンの特徴を学習すればよいが、言葉には一つ一つ意味があり、ＡＩは意味を理解できないからだ。

それでも、挑戦している研究者がいないわけではない。長い小説を冒頭から結末まできちんと書き抜くのは難しそうだが、部分的な試作は行われている。また、俳句についてはすでにＡＩによる句作の実績がある。短いからやりやすい、ということか。実際にＡＩのつくった俳句を幾つか眺めてみたが、季語もちゃんと入っているし、悪くないと思う人も少なくないだろう。

私自身は句作をやらない。だが父親が俳人で、幼い頃から関係者が家に出入りしていたので、空気にはそれなりになじんできた。この体験からすると、ＡＩ俳句はどうも気持ちが悪い。

俳句は短いが、だからこそ、そこに言葉のイメージの飛翔がある。俳人が求めるのは、飛翔し綾をなすイメージの出会いの面白さだ。一方ＡＩは、句作といっても言葉のイメージなどと関係なく、ただ既存の俳句群から記号データを採集し、ルール通り並べるだけ。つまり、モノマネ、剽窃《ひょうせつ》行為そのものではないか。

剽窃は芸術家にとって最大のタブーだ。音楽でも絵画でも同じである。バッハやレンブラントが偉大なのは、独自の作風を開拓したからなのだ。機械による特徴学習で類似した作品を幾ら出力しても全く無意味。創作者の生きた体験から絞り出されない芸術作品など、何の値打ちもない。

さて、この問題に関して、しばらく前にシンポジウムがあった。ＡＩ俳句など剽窃だと私が持論を述べると、芸術学者から反論の声があがった。「現場の創作者はむしろＡＩ作品を楽しんでいる。あらゆる作品は多かれ少なかれ剽窃ではないか」という異議だ。

フーン、なるほど。でも影響を受けることと、イメージ抜きの記号コピーとは違う。句作がすべて剽窃なら、松尾芭蕉も正岡子規も剽窃家なのか……。

あまり納得できなかったのだが、ひとまずシンポジウムでは、人間の主体的選択が鍵だ、という結論に落ち着いた。

要するに、ＡＩの独創性の有無はさておき、出力された作品を評価し、よいものを選び出すのはあくまで人間なのだから、それでよいではないか、というわけだ。

これはＡＩというテクノロジーを一種の道具と見なすアプローチとも言える。あらゆる芸術はテクノロジーとともに発展してきたのだから、この結論は説得力がある。そのうち、「某氏の句集」といっても、実はＡＩの出力群から某氏がピックアップした選集、ということになるかもしれない。それも悪いとは言わないが、なぜか私の脳裏には次のようなテレビドラマ風の情景が浮かぶのだ。

――独居老人がロボットと向かい合わせに座っている。ロボットが次々に詠む俳句に首を振ったり、うなずいたり。そして時間がゆっくり過ぎていく……。

何となく寒々とした情景ではないか。もともと俳句とは「座の文学」である。主宰のもとに集まった人々が、当日のお題について詠み合い、評し合う。人間同士の交流共感を通じて、俳句は発展してきた。ＡＩは、そういう俳句文芸の歴史にいったい何をもたらすのか。少なくとも熟考する価値はありそうだ。

バイオエピステモロジーの問い

生命現象はデータ処理と異質

先進国では出生率が下がっており、二十二世紀初めには生産年齢人口が半減するという。一時、ＡＩ（人工知能）機能を持つロボットが人間の仕事を奪うという懸念が叫ばれたが、最近はむしろ、ロボットが労働人口を補ってくれるという声が高い。未来は「ロボットと共生する社会」になるとのこと。マスコミだけでなく、そう喧伝《けんでん》するロボット研究者も少なくない。

よく考えるとヘンな話だ。人間は多細胞生物だし、ロボットの中枢はコンピューター。だからロボット共生論のベースは「人間コンピューター論」である。そこでは心の働きを含め、人間の本質がデータの情報処理と見なされているのだ。

一体なぜこんな奇妙な思考が現れたのか、振り返ってみよう。まず二十世紀前半に生気論が否定され「生命現象はすべて物理化学的に説明できる」という生物機械論が支配的になった。これは古典力学的な自然観だが、さらにここで情報学的な議論が絡んで話が一層ややこしくなった。

古典力学には本来、情報という概念は無いのだが、そこでは熱力学第二法則（エントロピー増大則）が成立している。エントロピーとは系の乱雑さの尺度で、世界の有りようは時間がたつと無秩序になっていくというわけだ。ところが生物に限っては、この法則が成り立たない。生物は秩序を創りだすからだ。それで物理学者シュレディンガーは「生物は負のエントロピーを食べている」と断じた。

さて一方、二十世紀半ばに分子生物学が誕生し、DNA二重らせんモデルが発表された。遺伝記号である塩基配列が解読されてできるたんぱく質が生物の本質を成すということになったのである。こうして、データ配列の逐次情報処理と生命現象が一挙に結びついたのだ。ほぼ同時期にコンピューターと情報理論が出現した。そこでは通信工学的な平均情報量が「エントロピー」と呼ばれるので、さらに議論が混迷してしまった……。

実は、通信工学のエントロピーと熱力学のエントロピーとは概念的に異質である。両者を峻別《しゅんべつ》した上で、改めて生命と情報の関連を問わなくてはならない。私が研究中の基礎情報学とはそういう知なのだが、ここでは別の角度からこの混迷状況に鋭いメスを入れる学説を紹介しよう。科学史家の米本昌平さんが唱える「バイオエピステモロジー」という、生命現象についての新認識論である。

近著に『バイオエピステモロジー序説』（書籍工房早山、二〇二〇年）があり、ユーチューブで米本さん自身による簡潔な講義も見聞できる。骨子はおよそ次のようなものだ。

地球誕生後のあるとき、多種多様な分子が相互作用し、熱力学第二法則に抗する安定した分子系が誕生した。それが生命。米本さんはこれをメソネイチャー仮説と呼ぶ。

科学では巨大な宇宙は古典力学や相対論、極小の原子は量子論で分析するのが通例だが、生命現象を分析するには、分子以上・細胞以下のメソネイチャー（中間レベルの自然）に注目しなくてはならない。

細胞内では、水溶液中で多種多様な分子が激しく熱運動しながら相互作用している。この状況は、真空中で小球が自由に飛び交う天体のような状況とはまったく異なる。熱力学第二法則の統計的前提は天体的なものだから、細胞内では時間とともにエントロピーが減少しても不思議はない。細胞内では時間が単純に一様に流れるのではなく、いわば循環するのだ。

現在の科学は水溶液中で熱運動する分子から目をそむけている、と米本さんは憤慨する。なるほど、メソネイチャーの分析無しには、生命現象は解明できないだろう。生物をめぐる謎は深い。

こういう議論を知ると、いわゆる人間コンピューター論がいかに浅薄で非科学的か、痛感させられる。人間とロボットを同質と見なし「共生」をうたう議論は、文学的にはともかく、科学的には決して容認できないものだ。ロボットやＡＩが好きな人たちに、私はぜひバイオエピステモロジーを学んでいただきたいと思う。

機械翻訳と外国語学習

異文化間の相互理解に活用を

機械翻訳があれば外国語学習なんて要らなくなる、と言う人がいる。はたして本当だろうか。

外国語を自動的に翻訳する人工知能（ＡＩ）技術は確かに実用化されつつある。だが、ネットで英語から日本語への翻訳結果を眺めると、首をかしげる誤訳も少なくない。

一般論としては、コンピューターはそもそも語句の意味を理解できないし文脈も捉えられないのだから、難解な長文の機械翻訳は困難だ、ということになる。まあ観光旅行の道案内など、定型的な短文なら大丈夫だろう。だが、外交やビジネス、国際会議などの場では、機械翻訳に任せきりにするのはムリだ。

つまり、本格的な国際交流のためには、今後も外国語学習は必須なのである。機械翻訳は外国語学習を無用にするのではなく、むしろ逆に活性化する。高度な辞典と同じで、代替技術ではなく補強技術なのである。

外国語学習というと、日本人はとかく英語の勉強ばかりを考えがちだ。だがここで発想を転換し、日本で暮らす外国人の日本語学習に機械翻訳を活用できないかと考えてみてはどうだろう。

ブラジル人や中国人、韓国人など在日外国人は多いし、近年はベトナムをはじめ、東南アジアからの技能実習生も増えてきた。背景には、日本の労働力人口の減少がある。彼らを単なる安い労働力と見なし、酷使するだけなら、移民問題で悩む欧米先進国と同じ袋小路にはまる。困った事態になるのは明らかだ。

母語が日本語でなく異なる文化的背景をもつ人々、さらに日本生まれの彼らの子供たちと、いかに上手に共存していけるか。――鍵を握るのは言語学習だ。

共存のやり方には「ルツボ型」と「サラダボウル型」の二つがある。前者は主流文化への融合をはかる統一主義で、後者は主流文化を共通の受け皿にしながらも各々《おのおの》の固有文化を尊重する多元主義。前者なら日本語と外国語間の機械翻訳だけですむが、後者では異なる外国語間の機械翻訳も有用となるだろう。

世界の現在の価値観としては圧倒的に後者が優勢だ。とはいえ歴史的に見ると、サラダボウル型の文化体験の乏しい日本ではルツボ型になりがちではないか。われわれは短期の客人は大切にするが、長く日常生活を共にするとなると、細かい違いに神経質で異文化に寛容ではない。だからこそ、相互理解のために言語学習が不可欠なのだ。

ここで考えてみよう。一体われわれは自分の母語の基準を大切にしているだろうか。日本語の変化は激しい。たとえば数十年前には「(このキノコは)食べれる」と言う人はいなかった。「食べられる」が正しかったのだ。可能と尊敬を区別できて便利だという意見もあり「ら」を省く人も多いが、年長者には違和感がある。

文法的変化に加えて、語彙《ごい》や表現上の変化も大きい。近ごろの女性は「これから行くわ」とか「ええ、そうよ」の代わりに「これから行くよ」とか「うん、そうだよ」と言うのが普通である。女性特有の表現の排除はジェンダー平等の立場から望ましいのかもしれない。だが男女の区別撤廃について日本より進んでいるフランスでは、言葉についてはかなり保守的である。何しろ、あらゆる普通名詞に男女の区別があり、外国人学習者を悩ませているのだが、一向に改革の兆しはない。アカデミー・フランセーズの権威が「正しいフランス語」の純度を守っているのだ。

ひるがえって日本ではどうか。基準をつくるのは、文化や国語を論じる有識者の審議会ではなく、テレビの人気タレントのおしゃべりなのだろうか。よく分からない。

機械翻訳は用例をベースに翻訳するが、出力が一種の基準になることは確かだ。いずれにしてもＡＩの機械翻訳は、経済活動だけでなく、言語の基準をつくり、学ぶ言葉の内容とも深く関わることになる。

機械翻訳の実用化をきっかけに、言語学習のあり方について考えてみたい。

脳科学へのAIの活用

意図的な「改良」の危険はらむ

デザイナーベビーという言葉がある。これは、遺伝子操作で髪や目の色など特定の特徴を持たされた赤ちゃんのこと。特徴の中には知能程度も含まれる。目的は要するに「望ましい人間の設計」である。遺伝子操作による農作物や家畜の品種改良なら盛んに行われているが、相手が人間となると話は別だ。

二〇一八年、中国の科学者が受精卵のゲノム（個体の遺伝子全体）を編集改変し、世界初のデザイナーベビーを誕生させたと発表した。このニュースが国際的な波紋を呼んだのは、ゲノム編集が「クリスパー・キャス9」と呼ばれる簡便な技術で実行された点も一因である。そうなると、世界のあちこちで遺伝子操作を施された赤ちゃんが続々と生まれてきかねない。

倫理的問題を引き起こすので、中国の研究発表は一斉に非難をあびた。世界保健機関（WHO）は各国政府に対し、この種の試みを許可しないよう求める声明を出した。まあ当然だろう。

　ここで疑問が生じる。もし遺伝子の化学的操作技術ではなく、デジタル情報技術を使ったらどうだろうか。特に、人間の脳活動を最新の人工知能（ＡＩ）によって改良する、という試みは許されないのだろうか。

「改良」ではなく「治療」ということなら、過去に実績が無いわけではない。二十年ほど前、三十九歳の全盲の男性が、まきを割り、ピアノを弾き、自動車を運転する様子を、米国のＣＮＮニュースが報じた。男性はビデオカメラ内蔵の眼鏡をかけ、脳には電極が埋め込まれていた。カメラから画像データがコンピューターに送られると、分析が実行され、出力信号が脳内の電極に到達して男性の脳を刺激する、という仕掛けだ。たとえ外界が健常者と「同様に」見えているわけではないにせよ、男性は訓練を通じて、与えられた電気的刺激に応じ適切に行動する能力を獲得したのである。

　視覚障碍者にとっては朗報だったはずだ。男性の治療を行った研究者が詳細を明らかにせずに死亡したこと、また治療費用が恐ろしく高額だったことなどから、その後の直接の普及は知られていない。だが、情報技術と脳科学の協力が医学的治療の新たな可能性を開くのは確かだろう。

最新のＡＩ技術は視聴覚障碍だけでなく、さまざまな脳障碍に苦しむ患者を救う可能性を持つ。現在、脳と機械を結ぶ、いわゆるブレーン・マシン・インターフェイス（ＢＭＩ）研究への期待の声も高まっている。

ではこの技術が疾患の治療でなく「脳の改良」に用いられるとすればどうか。――リアルタイムで高速演算を行うコンピューターによる知能増幅というＳＦ的夢想が実現されるのだろうか。

私はここで優生学を想起せずにはいられない。人類を改良しようというあの恐ろしい試みだ。

ナチスドイツが優生思想にもとづいて「劣等民族」を根絶しようとした暴挙は名高いが、それだけでなく、障碍者の断種や不妊といった手術は多くの諸国でつい最近まで行われていた。

ＡＩによる知能増幅は個体が対象だ。受精卵の操作のように子孫に影響しないから、優生学とは違うという異論もあるかもしれない。だが私見では、優生学の根本的な欠陥は、遺伝するか否かではない。人間の価値を絶対的尺度で測って「望ましい人間」を定義しようとした点なのだ。これは多様性を重んじる価値観とは全く逆である。

ＡＩで知能を増幅されたサイボーグ少年は、数学オリンピックで金メダルをとるかもしれない。だが彼はいったい「望ましい人間」なのか。数学は途方もなく優秀でも、内面世界は無残に破壊されているのではないか。スポーツ選手のドーピングと同じことだ。

生化学技術にせよ、情報技術にせよ、身体の特徴を意図的に操作して「改良」をめざす研究開発は、かならず巨大な悲劇をうむ。それは「進歩」という仮面をつけ、一部の人々に利益や名誉をもたらすから、よくよく注意しなくてはいけない。

AIの弱点、克服するために

主観的な価値判断で統御する

人工知能（AI）は、いよいよ実用化の段階を迎えつつある。ビッグデータと機械学習の組み合わせがひらく未来社会への期待は大きい。

とはいえ、AIの決定的な弱点は、処理対象の持つ意味（価値）をとらえられないこと。それで外国語文章の自動翻訳でも、著者の執筆意図をつかめず、とんでもない誤訳をしたりする。

この難題は奥が深い。解決のためには、いったん情報科学の基本に立ち戻ってみてはどうだろうか。情報科学が開花した二十世紀半ば、二つのパラダイム（学問的枠組み）が誕生した。コンピューティング・パラダイムとサイバネティック・パラダイムである。

前者はコンピューターによるデジタル技術をつくりあげた。現行AIも当然その枠内にある。後者は制御工学のベースになったが、社会的影響は前者より小さい。

両パラダイムの根本的相違は、世界の観察の仕方にある。コンピューター処理は客観世界を神のように上から見下ろし、大局的に最適解を計算する。一方、サイバネティクスは、生物の主観的な観察と同じく、局所解を探索していく。意味（価値）というのは生存活動と不可分だから、その把握にはサイバネティクスが有効だ。実用面では、いずれのパラダイムも重要なのである。

では、両パラダイムの架橋はできないのか。そうすればAIの弱点も克服できるかもしれない。

実はわれわれが構築している基礎情報学はこの架橋をめざしているのだが、現実にはなかなか難しい。客観と主観を隔てる壁は高いのだ。

香港出身の技術哲学者、ユク・ホイの近著『再帰性と偶然性』（青土社、二〇二二年）は、この難問に正面から挑戦した意欲作である。ホイは香港でコンピューター工学を学んだのち欧州に渡り、卓越した語学力をいかして、カント哲学からフランス現代思想にいたる広汎《こうはん》な知識を体得した気鋭の研究者だ。

そういう経歴が反映された同書には専門知が詰まっており、読解は易しくはない。だが議論の方向性は明確だ。端的には、サイバネティクスの中にコンピューターのデジタル処理を包含してしまう、壮大な技術哲学と言ってよいだろう。

キーワードは、タイトルにある「偶然性」と「再帰性」である。人間は生きていく上で、限りなく偶然の出来事に遭遇する。それは予測できないから、必ずしも最適行動をとれるわけではない。偶然の刺激の中から自分の過去の主観にもとづいて意味（価値）のあるものを選びだし、新たに主観世界を創り変えていく。こうして偶然は意味づけられ、必然と化す。このような主観世界の成立の仕方を「主観世界の再帰的形成」と呼ぶ。

客観世界を対象とするＡＩなどのデジタル処理は、原理上、そういうものではない。必然的な所与の前提条件のもとで、あらかじめ決まったプログラムにしたがってデータを迅速に処理し、最適解を出力する。

とはいえ、プログラミング経験のある人ならすぐ分かるように、コンピューター処理の本質には再帰性がある。とすれば、再帰処理の巧みな組織化によって、サイバネティカルな主観世界創造の中にコンピューター処理が組み込まれていく可能性もある。さらに、多数の主観世界が相互作用すれば、それらは次第に客観性をおびてくるだろう。

議論は複雑だが、ＡＩへの適用はシンプルだ。コンピューターに丸投げせず、あくまで人間の価値判断で細かく統御すればよい。「ＡＩは人間より賢い」といった神がかりの信仰は結局、一部の人々の利権と支配を拡大するだけに終わる。

われわれは長い間、欧米の科学技術の従順な摂取と細かい改善に専念してきた。もうそろそろ、情報技術についても、根本的議論を提唱すべき時期ではないのか。『再帰性と偶然性』を邦訳した原島大輔は、基礎情報学の優秀な研究者でもある。アジアの一角から包括的で新鮮な知が芽生えつつあることを、心から喜びたい。

2——人間はデータではない

日本学術会議問題の背景

知の軽視と成果至上主義

政治オンチの私だが、日本学術会議の新会員任命拒否問題は、学者の端くれとして気にかかる。最近のマスコミはコロナ禍や違法接待のニュースが多く、これが取り上げられる頻度が減ってきたが、忘れられない。

形式的な任命権は政府にあるとしても、慣習を破った以上、理由を明快に説明すべきである。拒否した学者たちと安全保障等について見解が異なるなら、正々堂々と国民の前で議論すればよい。議論をさけて暗黙のうちに権力をふるうのは、民主主義の理念に反する。だが、それらの指摘はすでに識者によって多々なされているので、これ以上付け加えるのは止《や》めておこう。

むしろここで強調したいのは、政府のダンマリ戦術の背景に、一般国民の無関心、あえて言えば学問の軽視があるのではないか、という点なのだ。国民が大して抗議しないから、任命拒否の理由を説明しないですむ。政府の狙いはそこにあるのだろう。

端的に言うと私には、ここ三、四十年を通じて、一般国民のあいだで学問に対する敬意が急速に失われてきたと思えてならないのだ。問題としてはこちらの方が大きい。

儒教の影響もあり、この国では半世紀ほど前まで、アカデミックな学問を敬う伝統があった。いったいいつごろから変わってしまったのか。

古典的教養より功利的実用を重んじる、米国文化に染まったのだろうか。昔から米国文化にそういう傾向があることは、リチャード・ホーフスタッターの名著『アメリカの反知性主義』（一九六三年）を読めばよく分かる。だが、そこで論じられているように、米国の反知性主義には、欧州の上層階級文化への反発があり、さらにキリスト教の福音主義による思想的要因もからむので、日本とはかなり事情が異なる。

あえて米国の影響をあげるなら、八〇年代以降の経済第一主義の暴走、マスコミぐるみの知の見世物化によるポピュリズムがあるだろう。派手に着飾り、テレビの娯楽番組で芸能タレントまがいの言動をくりかえす「オモロイ大学教授」はもはや珍しくない。ややこしい正論を吐く文系の学者などお呼びでないのだ。一方、理系の学者は、世間の人気に加え、経済成長の道具として役にたつ度合いにおうじて頭をなでられ、研究費にありつく。

そんな情けない風潮を象徴するのが、二〇一四年のSTAP細胞事件だった。超一流研究所の若いリケジョが世界を驚かす研究成果をあげた、何と割烹着《かっぽう》姿の可愛いお嬢さんだぞ、ソラいけ、鉦《かね》や太鼓で大騒ぎ——という次第だ。

あの論文捏造《ねつぞう》事件は、お調子者の哀れな女性研究者が単独で起こしたものではない。目先の成果だけを礼賛する政官財界、巨大な利権獲得のため狂奔する科学技術陣、それを見世物にするマスコミ、などが一緒になって作りあげた事件だったのだ。

つまり近年、この国を冒している知の軽視には、学者の側の姿勢も関わっているのである。むろん学問をそこまで腐敗堕落させた遠因として、大学運営費削減、研究費重点配分など、一連の政策があったことは言うまでもない。そして、科学技術研究における短期的な成果至上主義の弊害は、あの醜悪な事件の後も、ますます増大しているのではないか。

日本学術会議には文系会員が多すぎる、という声も一部にあると聞く。だが、現代科学技術の方向性を大局的に考えるには、人文・社会科学者からの自由な批判討論が必須だというのは、今や世界の常識である。

太平洋戦争が終わった直後、日本学術会議が発足したときの事情を想い起こしてみよう。そこには、最先端の原子核物理学がヒロシマ・ナガサキの悲劇をもたらしたという、科学者の痛切な反省の念があったはずだ。

そういう歴史をもつ日本学術会議が、視野の狭い御用団体になってしまっては困る。この際、学者の側も襟を正して学問の本質を自問し、敬意を回復する方途を探さなくてはならない。

「ソサエティー5・0」の落とし穴

五輪を最適化計算すると……

未来社会として、狩猟・農耕・工業・情報の社会に続く「ソサエティー5・0」に期待する声が高い。その基本概念はＣＰＳ（サイバー・フィジカル・システム）だ。

ＣＰＳとは端的には、サイバー（仮想）世界とリアル（現実）世界とを結ぶシステムのこと。つまり、われわれの住む現実の物理空間のデータを時々刻々デジタル空間に入力し、コンピューターで分析した結果を物理空間にフィードバックするのである。ＣＰＳの狙いは、最適化計算によって経済成長を促し便利な社会をつくることにある。

データを理論にあてはめて計算し、リアル世界を改良するだけなら、もともと科学技術とはそういうものだ。だがＣＰＳの特徴は、近ごろ話題になっているＡＩ（人工知能）とビッグデータの活用にある。リアル空間の膨大なデータをセンサーで素早く集め、インターネットに取りこむ。そしてＡＩのアルゴリズムで分析して適切な指針を与えるのだ。要するに、サイバー世界の計算をもとにリアル世界を最適に設計し運用する、というのがＣＰＳの思想なのである。そこには、人知の全能性とデジタル技術への絶対的信頼感がある。

確かに、交通やマーケティングをはじめ、ＣＰＳの応用分野は広い。だが医療分野はどうか。リアル世界のなかには、不気味な謎がまだ幾重にも潜んでいる。そして、新型コロナウイルスこそ、まさにその象徴ではないだろうか。ソサエティー５・０の未来像に冷水を浴びせたのが今回のコロナ禍だったのだ。

振り返ってみよう。パンデミック襲来以来、政府の対策は迷走した。行動を自粛せよ、専門家の警告を聞けと繰り返すばかりで、対策の遅れを批判する声も高い。だが、為政者の右往左往ぶりはどの国も大同小異ではないのか。なぜなら、専門家にも分からないことが多すぎるからだ。ＡＩに尋ねても、むろん正解など教えてくれない。

ＣＰＳの本家である欧米では、感染者数も死亡者数も日本よりはるかに多い。ただしこれは東アジアに共通の現象で、日本人の民度が高いからではないだろう。統計的には明らかな相違だが、一流の専門家にも原因は不明。交差免疫とか、ＢＣＧ接種効果とか、ヒト白血球抗原とか、諸説があるが、決め手は無いようだ。だから感染率が低いからといって安心はできない。急に変異株が出現し、ワクチンも効かず、東アジア一帯で感染爆発が起きる可能性を誰も否定できないのである。

こうしてコロナ禍はCPSの楽観主義に疑問を突きつけたのだが、ここで考えてみよう。二〇二一年夏に延期された東京五輪開催の是非について、CPSはいかに判断するのだろうか。

知識もデータも不足とはいえ、医学的な推測は立つ。コロナ禍の拡大を防ぐため、五輪は中止すべきだという結論になると思いがちだが、そうではない。サイバー世界の計算から未知のデータは除外され、違約金だの、テレビの放映権料だの、観客のチケット代だの、巨額な損得勘定のデータがどっと流れ込んでくる。ゆえにCPSの計算式にもとづくと結局、完全な形で五輪を実行せよ、という答えが出力されてくるだろう。

サイバー世界をもとにリアル世界を裁ち直し、経済成長を合理的に達成するとは、実はそういうことなのである。

このとき、サイバー世界の最適化要求によってキリキリ舞いさせられるのは、競技に出場するアスリートたちである。五輪の商業主義化によりスポンサー付きの競技者として、アスリートたちはサイバー世界へデータを提供し、膨大な経済価値を担う変数となる。その一方、リアル世界において、コロナ感染の危険におびえつつ肉体を限界まで駆使し、大観衆の前で戦わねばならない。こうして五輪選手は、サイバー世界とリアル世界のはざまに投げ込まれた犠牲者の代表となる。いったい誰のために五輪を開催するのか……。

ＣＰＳの効力は大きい。だが、それが皆に明るい未来をもたらすとは限らないのだ。

銀行システム障害の深層

設計思想両立の知恵が必要

みずほ銀行のシステム障害が二〇二一年二月、大々的に報じられた。通帳やキャッシュカードがＡＴＭ（現金自動受払機）に吸い込まれ、長時間戻らなかったという。原因は、取引が集中する月末に、定期預金に関する新たな処理を行ったため、システムに負荷がかかりすぎたとのこと。ＡＴＭの前で待たされた顧客は気の毒だし、その後も幾度かシステム障害が起きて、非難ごうごうの騒ぎとなった。

だが銀行オンラインシステムの開発保守を多少体験した者として、私は同情を抑えられない。現場の技術者はたぶん徹夜続きだっただろう。

大規模ソフトには、普通の工業製品と違い、誤動作を防ぐ完璧なテストができないという特徴がある。含まれる論理処理の手続きが天文学的に多いからだ。通常負荷のときはいつもの手続きを行うので問題ないが、過負荷になると例外的な手続きが実行され、未知の誤りが顕在化してしまう。

口座への入出金を行う勘定系は、単純な処理のようだが、実は恐ろしく複雑で大規模なソフトである。天災などによる万一のデータ破壊を防ぐため、離れた地点のシステム上に残高のコピーを保持する必要がある。だがデータ送信をふくめ複製作業中に更新がかかると論理矛盾が生じてしまう。矛盾防止のため、複製作業中のデータには鍵をかけるなど、面倒な仕掛けが不可欠となる。表向き単純な処理でも、勘定系全体として整合性を保つための内部の工夫は実に膨大だ。デジタル技術は奥が深い。

そんな訳で、個人的にはあまり今回の障害を責める気持ちにはなれないのだが、一つ気になることがある。みずほ銀行に限らず大手金融機関では、インターネットバンキングなどサービス拡充のため、全面的なシステム改変を敢行し、とくに従来の「メインフレーム系」を新たに「オープン系」で塗り替えつつあるのではないだろうか。

口座処理などを行う伝統的なメインフレーム系と、一般顧客にさまざまなサービスを提供するオープン系とはまったく設計思想が異なる。前者は汎用大型機（メインフレーム）による中央集権型クローズドシステムで、ＡＴＭを結ぶいわゆる銀行オンラインシステムはその典型。高価だが性能も信頼性も高い。一方、後者は比較的安価なサーバーマシンを用いる分権型オープンシステムで、パソコンやスマホなどの端末を結んだインターネットにつながっている。性能やセキュリティーに限界はあるが、広く顧客に多彩なサービスを提供する。

歴史的には、メインフレーム系は一九七〇～八〇年代にほぼ完成し、コンピューター応用の主流だった。大組織の専門家向けのこのシステムに対抗し、「一般市民のためのコンピューター」をめざしたのが、オープン系である。それが九〇年代以来、主流の座を奪ってしまったのは興味深い。

経営者のなかには、コスト削減のため性急にオープン系に全面転換しようとする者もいるが、それが常に正解とは限らない。インターネットバンキングの時代を迎え、従来のクローズドシステムだけでは不十分なことは分かるが、サービス向上のためにシステムが脆弱《ぜいじゃく》になるのは困る。

たとえば、被災地支援の口座にスマホから寄付ができれば便利だが、入金処理がどっと押し寄せ、負荷が突然増大して誤動作しがちだ。ＡＴＭの同時接続数を調節し、負荷の急変動を防ぐのが、メインフレーム系の安全策なのである。

噂によると、メガバンクのなかには、従来の強靭《きょうじん》なメインフレーム系の遺産を上手にいかし、そこにオープン系をうまくかぶせる形で、両者の設計思想の違いを解消している銀行もあるようだ。

柔軟なオープン系の設計思想は清新だが、災害やサイバーテロに耐える安定した高性能メインフレーム系の設計思想もまた捨てがたい。

金融だけでなく、多様な大規模応用システムを改革する際は、二つの設計思想を両立させる知恵が必要になる。それが成功への道をひらくのだ。

天才フォン・ノイマンの悪魔的価値観

「核」研究開発者の責任とは

復興五輪という空虚な謳《うた》い文句は、人類による原子力コントロールの難しさを象徴したものである。

二〇一六年、米国のオバマ大統領（当時）がヒロシマを訪れた。「七十一年前、死が空から降ってきて世界は変えられた」で始まる名演説は歴史に刻まれるだろう。「子供たちの恐れと沈黙の泣き声」にふれ、科学技術の進歩に見合う道徳革命への覚醒のために自分はここに来た、と語る言葉は切実だ。

早急な核兵器廃絶は実現性が低いとしても、世界的政治家が地球を破滅させる原水爆という存在を正面から否定したことの意義は大きい。

核兵器への批判はしばしば、使い手である政治家や軍人に向けられる。確かに彼らに責任はある。だが、作り手である科学技術者の責任は問わなくてよいのか。とりわけ原水爆の研究開発は、通常人では歯が立たないほど高度な知識を必要とする。彼らがせっせと尽力しなければ、核兵器の被害も脅威も一切無かった。とすれば、オバマのいう道徳革命は、開発者の世界観や価値観を抜きにして語れないはずである。

原爆を創ったマンハッタン計画に参加した学者は少なくないが、特に注目されるのはジョン・フォン・ノイマン（一九〇三～五七年）である。なぜなら、驚嘆すべき天才として有名なこの人物の業績は、原水爆開発だけでなく、人工知能など現代の情報通信技術にまで広く及んでいるからだ。実際、フォン・ノイマンが定式化したプログラム内蔵型コンピューターというアイデア無しには、インターネットもスマホも無いのである。

私は以前からフォン・ノイマンに興味をひかれ、その足跡をたどって、他の先駆的情報学者の足跡と共に『デジタル・ナルシス』（岩波書店、一九九一年）という本にまとめた。最近、科学史家の高橋昌一郎による『フォン・ノイマンの哲学』（講談社、二〇二一年）が出版され、詳しいプロフィールが知られるようになったことは喜ばしい。

ともかくフォン・ノイマンの業績は、並のノーベル賞受賞者など及びもつかないものだ。コンピューター以外でも、行列力学と波動力学を数学的に統一した量子理論や、経済学のゲーム理論の提唱など、実に多岐にわたる。

しかしその一方、フォン・ノイマンがナガサキに投下されたプルトニウム型原爆に不可欠の爆縮技術を確立したこと、京都への原爆投下を強く主張したこと、戦後もコンピューターを駆使して水爆の開発に邁進《まいしん》したことも、また忘れてはならない。

高橋は、フォン・ノイマンの思想にあるのは、徹底した科学優先主義、犠牲を顧みない非人道主義、さらに普遍的な責任や道徳を否定する虚無主義だと述べている。私見では、この人物の脳は、数理的推論を担う部分とスナップショット的記憶を担う部分だけが異常発達していたのではないか。そういう人は一定の確率で生まれるが、フォン・ノイマンの場合、程度が桁外れだったのだ。日常生活のエピソードは、この人物が他人の心情に鈍感で自己中心的、おまけに権力に追従する小人だったことを物語る。だから拙著の中で私は「凡庸な器と非凡な能力というアンバランスゆえに興味をそそる人物」とフォン・ノイマンを評した。

科学的追究のためなら犠牲はやむをえないと切り捨てる天才とはいったい何者か。――フォン・ノイマンはナチスを恐れて米国に逃れたユダヤ人だったから、ユダヤ人迫害が生んだ一種の堕天使＝悪魔として位置づけられるかもしれない。だがいっそう大切なのは、フォン・ノイマンのような価値観が今後の世界をどう変えていくか、という点だろう。

　フォン・ノイマンは試験で満点をとり、首席の成績をあげ続けた。秀才には親切だったが、普通人の苦悩には無関心だったのである。計算万能主義のこうした偏差値秀才たちが社会を動かすとき、いったい何が起きるのか。オバマのいう道徳革命を達成できるのか……。

　フォン・ノイマンの崇拝者は日本でも多い。だが私には、成績や偏差値などのデータのみを過大評価する価値観こそが、もろもろの社会的悲劇の元凶だと思えて仕方がないのだ。

「GIGAスクール」教育への懸念

多様な創造性、引き出せるか

政府は教育改革の一環として「GIGAスクール」という構想を近々本格化させるらしい。具体的には、子供たちに一人一台の学習用端末を与えて高速大容量の通信ネットへ接続できるようにし、ソサエティー5・0時代に生きる基礎能力を育てようという目論見《もくろみ》だ。

新時代の児童は多様だという前提のもとで、個別最適化された教育を実現することがポイント。GIGAとは「グローバル&イノベーション・ゲートウェイ・フォー・オール」の略で、全ての児童が、革新的な創造性を発揮できるようになるのが目標だという。確かに端末を活用すれば、膨大な情報に瞬時にアクセスできる。クラス全員が同じ教科書に縛られる従来方式より、児童個々の興味や進度に応じた自由な学習ができるようになる可能性はある。かつて何十億円もした高性能コンピューターを全ての子供が持てるとは、われわれの世代からすれば夢のような話だ。

とはいえ、問題点を指摘する声も高い。たとえば教員も児童も端末の操作や保守に振り回され、肝心の学習がおろそかになるのでは、という批判もある。紙の教科書で育った世代には、スクリーン学習が子供の脳に与える生理的影響も心配だ。

ここでは特に、GIGAスクールがはたして個別最適化と創造性育成という目標を達成できるのか、について考えてみたい。というのは、ICT（情報通信技術）の特性からすると、GIGAスクールは逆に、画一的な答えを効率よく出すロボット人間を育ててしまうのではないか、と懸念されるからである。

現在のICTは基本的に「コンピューティング・パラダイム」にもとづいている。これはコンピューターの父と言われる天才数学者ジョン・フォン・ノイマンらが創始した考え方であり、そこでは万事がデータ計算に帰着される。前提となるのは、客観的世界が統一的観点から論理的に記述されるという世界観だ。このパラダイムのもとでは、普遍的な最適行動が合理的に追求される。

だが、われわれ生物はむしろ、個別の主観的世界のもとで生きているのではないだろうか。こういう発想から生まれたのが、「サイバネティック・パラダイム」。創始者はフォン・ノイマンのライバルと言われた天才数学者ノーバート・ウィーナー（一八九四〜一九六四年）である。そこでは、普遍的最適化ではなく、個々の生物が生き抜くための最適行動が模索されるのだ。生物種によって生存戦略は異なるし、さらに同じヒトでも、個人ごとに世界の感じ方も選ぶ行動も違うだろう。

フォン・ノイマンとウィーナーは、ともに二十世紀情報学の始祖なのだが、両者の方向性はまったく異なる。ただし、当初の古典的サイバネティクスのアプローチは、コンピューティング・パラダイムとかなり重なっていた。つまり生物を、安定状態を保つ一種の機械ととらえたのである。だがその後一九七〇〜八〇年代に、生命活動の本質をとらえたオートポイエーシス（自己創出）理論が提唱され、そこでは生物は自律的存在として機械から明確に区別された。現在のサイバネティック・パラダイムはこのネオ・サイバネティクスにもとづいている。

二つのパラダイムは、情報の学問において共に欠くことができない。しかし歴史的に見ると、圧倒的にコンピューティング・パラダイムが優位をたもち、重視され続けてきた。ゆえに現行ＩＣＴは専らこのパラダイムに頼り切っている。

だが、考えてみよう、学習者の個性をうまく引き出すには、サイバネティック・パラダイムの導入が不可欠ではないのか。そこで初めて、多様な人間を尊重する創造性がめばえてくるのだ。

ウィーナーはフォン・ノイマンと同じユダヤ系の俊秀だが、フォン・ノイマンと違って権力に追従せず、人道を重んじる人物だった。若い頃ＩＣＴ研究者だった私が、ネオ・サイバネティクス分野の基礎情報学の構築をめざしたのは、ウィーナーの影響を受けたからなのである。

デジタル庁への疑問

システム統合より危機管理を

二〇二一年九月、デジタル庁が発足した。これは菅義偉政権の残した数少ない成果の一つだという声がある。だが果たして功を奏するか否かは、まだ分からない。

これまで官公庁のデジタル化は縦割りで使いにくく、他の先進国より遅れていると批判されてきた。とくに騒がれたのはコロナ禍対策である。部署間に壁があり、データをファクスでやりとりしたために、感染状況の把握に混乱が生じた。政府による特別定額給付金の配布も、振込口座の確認に手間取った。おまけにマイナンバーカードもなかなか普及しない。

こういった反省から、各省庁のシステム統合を強力に推進し、社会全体の効率を上げようというのがデジタル庁設立の狙いらしい。面倒な各種行政手続きも、役所でハンコを押して申請するかわりに、スマホから簡単に実行できるようになるという。だが、そんな謳い文句はどうも空《むな》しく響くのである。

率直に疑問をあげてみよう。普通の人にとって、役所で書類手続きをする機会はそれほど多くない。スマホからでなくても、税務や年金など該当する役所に行き、窓口か専用端末で処理できれば十分だ。むしろ、政府の共通サイトへのオンラインアクセスは「自分のすべてをお役所に知られてしまう」という恐怖感をもたらす。サービス向上というが、実は国民の全個人データを把握して超管理社会にする魂胆ではないか、と疑念がわく。

確かに北欧諸国など、行政のＩＴ（情報技術）システムがうまく機能している国もある。だがそれは何より、政府に対する国民の厚い信頼あってのこと。一方、ここ数年来の為政者の言動は、われわれ国民の信頼を損なうものが多すぎなかったか……。

さらに、いったい各省庁や自治体をむすぶ統合システムがうまく稼働するのか、という技術的疑問もある。かつて大規模なＩＴシステムの開発保守に従事した経験から言えば、複数の異質な既存システムをまとめあげることは至難の業だ。三つの銀行システムを統合したみずほ銀行が障害連発で苦しんでいるのはその例だろう。まして、目的も価値観も多様な各省庁の担当技術者が、統合作業に乗り気になるとはとても思えない。デジタル庁には民間のＩＴ専門家も参加しているが、彼らは新規アプリの開発は上手でも、省庁ごとに異なる複雑な法制度や慣習に詳しいわけではない。ＩＴと行政全般に広く通じた人物など、どこにいるのだろうか。

無理して統合システムらしきものを創りあげても、あちこちで不具合が生じるだろう。さらに障害が起きても誰も責任をとらないという、最悪の事態さえ予想される。


加えて、もっとも懸念されるのは、安全保障上の問題だ。統合システムには国民の重要なデータが集中的に蓄積されることになる。もしそれが国内外のサイバー犯罪集団に狙われたら、いったいどうなるのか。

強調しておくが、インターネットというのは本来、セキュリティー重視のシステムではない。むしろ性善説にもとづくオープンなシステムであり、便利で使いやすいが、安全性は自分で確保する必要がある。むろん、クラウドサービスの秘密は暗号などで守られているが、相手はプロだ。中には海外の国家的情報機関と結託した凄腕ハッカーもいるだろう。実際、国境をこえるデータ漏洩《ろうえい》事件は増えつつある。いったん大規模なデータ漏洩が生じれば、国民の安全など風前の灯《ともしび》となってしまう。デジタル庁の方々は、サイバー犯罪集団への防御策を十分に講じつつ、統合システムを完成させ、保守維持していく自信があるのか。

各省庁の既存システムは、紙ベース部分による非効率性はともかく、安全性は高いはずだ。

とすればデジタル庁の仕事は、それらの全面的な改修統合ではなく、巧みな活用でなくてはならない。

つまり、デジタル庁の役割とは、コロナ禍などの想定外危機に際し、各省庁にまたがる新規課題をＩＴで迅速に解決する遊撃部隊ではないだろうか。

米中宇宙開発競争の意味

切り離せない軍事目的

　コロナ禍が地球に蔓延《まんえん》するなか、宇宙開発のニュースは、一貫して人類の明るい希望として受けとめられている。だが、果たしてそれだけで十分なのだろうか。

　二〇二一年の二月、米国の宇宙探査車「パーシビアランス」が無事に火星へ着陸し、調査を開始したというニュースがマスコミを飾った。次いでその三カ月後、中国の探査機「天問一号」も同じく火星着陸にみごと成功して、関係者を驚かせた。

　火星への無人軟着陸は技術的に難しいことで知られている。火星の大気圏突入時は超高温になるし、ロケットを減速する制御操作も複雑で、おまけに大気が薄いためパラシュートも作動しにくい。両国の技術力の高さが分かるというものだ。

　日本も負けてはいない。探査機「はやぶさ2」が小惑星リュウグウから岩石資料を採集し、首尾よく地球に持ち帰ったというニュースは、わが国の優れた技術水準の証し以外ではない。

だがここで素朴な疑問が浮かんでくるのだ。いったい宇宙開発は何のためなのか……。

宇宙開発には途方もない費用がかかるが、水も空気も乏しい星に基地を造ったところで、多数の人間が移住できるわけではない。一方、地球環境は近年の乱暴な技術開発によって汚染され続けている。異常気象をもたらす温室効果ガス、海を漂う無数のプラスチック片、拡散する放射性物質など、数え出せばきりがない。宇宙開発より、まず地球環境修復に資金とエネルギーを注ぐべきだというのは、きわめて真っ当な主張だろう。

ここで私は、かつて米国が推進したアポロ計画を想起してしまう。一九六二年、ケネディ大統領は「十年以内に月に人間を送る」とテキサスで演説し、聴衆から熱狂的な喝采を浴びた。そして六九年、アポロ十一号がついに月面有人着陸に成功したのは周知のこと。

ソ連との競争意識は別にしても、そこには「科学技術による進歩」に対する深い信頼感があった。人類が知識を積み重ねることで宇宙的平和が達成される——そんな強い信念が、当時の人々の心をとらえ、夢想をはぐくんだのである。

しかし、半世紀以上すぎた今、状況は変わってしまった。宇宙の征服が「わくわくする夢」

だといまだに信じているのは中高年ばかり。若者たちは宇宙植民地などといったB級ＳＦもどきのオハナシにもはや飽き飽きしているように思える。

征服によって得られる平和とは所詮、暴力的支配であり、それは無残な副作用をもたらす。かつて米国の先住民の長老が、月に向かう宇宙飛行士に一通の文書を託した。そこには「これを持参する者は嘘つきで、土地を奪うから気をつけよ」と書いてあったという。冗談にしても、考えさせる逸話ではないか。

率直に言えば、宇宙開発は軍事目的と切り離せない。アポロ計画を主導したのは、ナチスドイツで殺人ロケットを開発したW・フォン・ブラウン（一九一二〜七七年）だった。今や中国は独自の宇宙ステーションを建設し、米国と並ぶ宇宙強国をめざしている。

当然ながら人工衛星も武器となる。米国は多数の人工衛星を保有し、それらを活用して世界中に軍事ネットワークを展開している。だから人工衛星とはいわば、米国軍の中枢神経のようなものなのだ。そして中国は、人工衛星への攻撃能力を高めることで、米国に対抗しようとしているのではないか。実際、中国の人工衛星の中には、他の人工衛星を破壊する能力を持つものもあるらしい。

とはいえ、地球の大気圏ならともかく、火星のような遠くはなれた星で国家同士が争うことは考えにくい。だから中国が火星にロケットを飛ばすのは、大国としての威信を世界に誇示したいのだろう。そういう明確な政治的目的のために、大金を投じているのだ。

一方、日本の宇宙開発の目的については何だかよく分からない。もはや「わくわくする夢」が色あせた今、冷静な自覚が求められるのではないだろうか。

脱炭素エネルギーへの対応

課題解決にとどまらぬ議論を

世界はもはや、脱化石燃料へと本格的に始動したようだ。

二〇二一年十一月に英国グラスゴーで行われたCOP26（国連気候変動枠組み条約第二十六回締約国会議）において「グラスゴー気候合意」が採択された。そこでは、大気中の二酸化炭素濃度を減らすため、石炭火力発電の段階的削減が明記された。言うまでもなく、地球温暖化を防ぐことが目標だ。各国は、産業革命前からの気温上昇を一・五度に抑えるよう、温室効果ガスの排出量を減らす努力をしなければならなくなる。

インドや中国など、石炭火力発電を主なエネルギー源にしている諸国の反発は大きい。さらに気候変動は複雑多様な要因が絡まって生じるから、温室効果ガスの排出量を減らせば気温が安定すると科学的に厳密に立証するのは困難だろう。

とはいえ、近年の気温上昇はひどいものだ。集中豪雨や山火事は世界中で頻発しているし、大災害が飢餓や疫病を招くとなれば、早急に手を打たねばならない。
地球の生態系全体が危機に瀕《ひん》しているという自覚のもと、化石燃料から再生可能エネルギーへの大転換を進めると素早く決定し、諸国の合意をとりつけた政治力には恐れ入る。さすがに開催国イギリスをはじめとする欧州の底力だ。

一方、日本はというと、あまり評判がよくない。合意には参加したが、火力発電そのものは温存し、石炭のかわりにアンモニアや水素を燃料とするという主張は「後ろ向き」と受け取られてしまったようだ。アンモニアや水素を燃やせば二酸化炭素は確かに出ないが、燃料を製造するのにエネルギーがいるなら、問題は解決しない。二酸化炭素を吸収するというせっかくの新技術も、未完成と見なされている。

この相違はいったい何か。そもそも多くの日本人は、気温上昇を深刻な危険だと認識していないのではないか。

世界が進む方向を決めるのは説得力のある理念だ。しかしこの国では、理念は専《もっぱ》ら海外からの輸入品。それらを勉強してひたすら細部の洗練や応用に専念すべし、というのが長年の習慣だ。科学技術分野は特にそうで、社会全体が大きな理念に興味を示さない。

原理追求型でなく課題解決型の知をもたらしたのは、不安定な気候風土なのかもしれない。日本列島はいつも地震・台風・津波・噴火などで脅かされてきた。自然がはげしく変動するので、理念的な根本対策は徒労となりがち。状況に応じて具体策をねった方がよい。再生可能エネルギーへと大転換をはかるより、既存の火力発電の改善で問題解決をはかるというのは、伝統的知恵のなせる業なのだろう。

しかし、だ。いくら自然の猛威を耐えてやり過ごす伝統があるとはいえ、近ごろの集中豪雨による被害はすさまじい。さらに、近年は中途半端に国土をいじっているから、それに伴う被害も生じる。二〇二一年の熱海の土石流はその最悪の事例ではないか。

二十一世紀の今日もはや、太陽光や風力などのエネルギー活用へ、という脱炭素の国際潮流に逆らうことは非現実的である。

ただし、だからといってメガソーラー（大規模太陽光発電）の乱立は望ましいのか。これもまた小手先の対策に他ならない。日本は灼熱《しゃくねつ》の砂漠国とは違うのだ。森林を伐採し、山を崩して巨大なパネルを設置するのは、かえって生態系破壊につながる。海に囲まれ、山と森と川の多い国土に適した、きめ細かいエネルギー生産手段の考案が求められている。その際、各地のさまざまな発電施設の連携や、送電線の整備も不可欠となるだろう。

加えて、電力消費量を抑制することも大切ではないか。周知のようにデジタル社会のデータ量はうなぎのぼりで、大手データセンターの電力消費量はすでに途方もない。下手をすると、再生可能エネルギーの大半が、暗号資産（仮想通貨）の処理などで使われてしまう恐れもある。

安全な生活を続けるため、気温上昇やエネルギーについての国民的議論はもう待った無しだ。

日本の「デジタル敗戦」を考える

素人主導の米国文化が背景に

コロナ禍で日本はデジタル敗戦を喫したという。高度な通信インフラがありながら、感染者情報を管理する「ハーシス」、濃厚接触者追跡用の「ココア」など、関連システムはみな十分に活用されなかった。行政は縦割りだし、国と地方自治体の連絡も悪く、まさに「デジタル劣等国」だと酷評する人も多い。

確かに「電子政府」が景気よく唱えられてから二十年以上たっても、住民サービスは相変わらず紙とハンコ中心だ。

だが日本のデジタル技術は昔から低水準だったのだろうか？　そこには技術だけでなく、文化や社会に関わるもっと大きな亀裂が潜んでいるように思われる。実はそれを直視しないことが、最大の問題なのだ。

振り返ってみよう。私がコンピューター研究者になった約半世紀前、日本のデジタル技術は国際的に見て誇るべき水準にあった。米国には敵《かな》わなかったにせよ、欧州諸国にひけはとらなかったし、アジアでは断然抜きんでていた。中国の技術者も集団で日本に勉強に来ていたものである。一体ここ二十、三十年のあいだに何が起きたのか。

一九七〇～八〇年代まで、デジタル技術の中核を担っていたのは、メインフレームと呼ばれる汎用大型計算機である。これは恐ろしく高価だったので、所有できるのは政府や大企業などの組織に限られていた。それらのＩＴ部門の担当者はメーカーの技術者に匹敵する知識をもち、一緒に大規模なシステムを開発し保守していた。つまりユーザーは少数のプロに限られていた。代表例は新幹線運行管理システムで、その緻密な正確さは世界の称賛を浴びたものだ。

プロでない一般人がパソコンや携帯電話でデジタル技術を駆使し始めたのは一九九〇年代半ば以降である。米国西海岸の対抗文化が、誰もが使える安い「市民のコンピューター」を発明した。初めは政府主導だったインターネットも、やがて市民に開放され、グローバルビジネスの隆盛をもたらした。日本のデジタル産業はこの変革の波に乗れなかったのだ。

乗れなかった理由は、日本文化が昔から「素人がつくるアマチュア技術」とは異質だったためである。素人中心の技術観は、「不完全でも自分たちの手で社会の仕組みを創る」という米国特有の文化の賜物《たまもの》に他ならない。

誰もがユーザーとなる今のデジタル・ネットは便利だが、精密で安全な新幹線運行管理システムとは大違いのアバウトなシステムだ。障害は頻繁だし、詐欺まがいのメールや偽サイトが横行し、自分の個人データも誰に見られているか分からない。

でもそんな文化を頭から否定するのは間違いである。今は不完全でも皆で話しあって改善していく、というのは立派な文化だ。昔、「日本の銀行では一日分の取引計算が一円違っても合うまで支店の全員が帰宅できないが、米国なら百ドル違っても誰も気にしない」と聞いたことがある。残業代を考えれば、米国流のアバウト文化のほうが効率的だろう。

だが、完全を求める潔癖性は日本人の美学であり文化なのだ。この国ではそういうプロが尊敬される。だからミス続出のデジタル・システムなど我慢できない。「日本のデジタル技術は遅れている、一刻も早く米国に追いつけ」と騒いでいる人たちは、はたしてこの文化的差異を見抜いているのだろうか。

米国人の個人データの大部分は、すでにインターネット経由で流出し、他国の情報機関に握られているものも多い、という噂もある。それなのに米国人はあまり気にしていないようだ。問題があれば、その都度対処すればいいということか。

歴史的、文化的な背景を考慮すると、ただ米国の猿真似をするだけでは無理がある。私見ではむしろ、歴史のある欧州、とくにＥＵ（欧州連合）のデジタル文化に学ぶべきではないか。すでにＥＵではネットでの個人データ保護やＡＩ（人工知能）の乱用に警告を発している。

デジタル技術の活用には深い知恵がいるのだ。

DXとアメリカニズム

「生の意味」見失わぬ考察を

　DXを急げ、という声を近ごろよく耳にする。DXとは「デジタル・トランスフォーメーション」の略。端的には企業が、データのデジタル処理により、ビジネスを根底から変革して市場競争力を上げることである。

　肝心なのはDXが、企業だけでなく、社会全体をデジタル技術で改善すると期待されているという点だ。まさにこれはアメリカニズムの理念と重なる。民主主義にもとづく科学技術進歩と市場経済によって誰もが幸福になること、それがイデオロギーとしてのアメリカニズムなのだ。

　確かにこの理念がグローバルに支持された時期もあった。DXという言葉は二〇〇四年ごろに誕生したのだが、当時はそんな近未来像も真実味を持っていた。だが果たして今はどうだろうか。

トランプ前政権のもとで米国の分断は広がり、コロナ禍襲来により諸国間の壁は高くなった。米国の覇権は衰えたという声もある。そんななか、周回遅れでＤＸの実現にしがみつく日本の方向性は果たして正しいのか。

ここで一度立ち止まり、アメリカニズムの深層を洞察しなくてはならない。単純化するとその中心は、キリスト教を世俗化した科学技術信仰である。宇宙の全ては神が創造したが、今や人間が神に代わって自在に世界や未来をつくり替えられる。脳ばかりか生命さえ、儲《もう》かる技術操作の対象となる。「数十年後に人間は不死になる」というシンギュラリティー（技術特異点）仮説はその象徴だ。しかし日本人はそんな理想に共感できるのか……。

社会哲学者の藤本龍児の『「ポスト・アメリカニズム」の世紀』（筑摩選書、二〇二一年）は、この問題と取り組んだ好著である。米国文化とキリスト教の強い結びつきを細かく検証した上で、藤本が着目するのはハイデガーだ。

この実存哲学者は早くも一九三五年、米国とソ連に共通するのは「狂奔する技術と平凡人の底のない組織との絶望的狂乱」だと激しく糾弾している。現代技術の本質は、対象を制作し目前に押し立てること、つまり「立て組み（ゲシュテル）」に他ならない。それは「役立て、追い立て、駆り立てるもの」の集積体なのだ。ゆえに現代文明の特徴とは「総駆り立て体制」ということになる。

何やら難しそうだが、ハイデガーの議論の核心は明らかだろう。われわれの日常生活は忙しく駆り立てられていないか。もはや人間は固有の居場所を奪われ、画一的で取り換え可能な「役立つ断片」とされてしまった。技術の支配体制のもとで価値を持つのは数と量のみ。デジタル技術を駆使するＤＸの目的もすなわち、効率をあげて経済的数値を増すこと以外ではないのである。

悲劇的なのは、総駆り立て体制に組み込まれると、だんだん「生の意味」が分からなくなってくることだ。自他が死ぬという絶対的自覚のもとで無常の刻々を見つめるのが、本来の人間の生き方のはず。不死を掲げるシンギュラリティー仮説はまさに、生の意味を抹消する技術的妄想ではないか。

藤本は、総駆り立て体制からの脱出の難しさを認めつつも、現代技術文明を問い直そうと呼びかける。そこに「ポスト・アメリカニズムの未来」がひらかれるのだ。

ここで私は、現代日本の若者たちを覆うニヒリズムを想起せずにはいられない。二〇一九年に日本財団が行った十八歳意識調査によれば、「将来の夢」を持つ日本の若者の割合は、欧米やアジアの諸国と比べると目立って低い。さらに「国や社会を変えられる」と思う者はなんと二割以下。文化的な同調圧力の強いこの国で、若者はそれだけ抑圧され、生きる意味を見失っているのだ。

いったい政府や企業のリーダーたちは、この調査結果をどう解釈しているのだろう。キリスト教の伝統を持たないわれわれにとってDXとはいったい何か。それは経済成長には役立つだろうが、下手をすると総駆り立て体制を強化するだけかもしれない。デジタル技術の活用に文明論的考察を欠くと、道に迷うことになる。

サイバー戦争と安全保障

個人データ流出の危険、認識を

「日本人は外敵から侵略される危機感が乏しい。歴史的に海が防壁だったせいかな」と、あるとき外国の友人から言われたことがある。米国の傘の下で平和ボケしている、という皮肉だったのかもしれない。

だがこの国でもロシアのウクライナ侵攻とともに、安全保障に対する意識がにわかに高まってきた。憲法を改正し、軍備を増強して堂々と自力で国を守るべきだという主張も近ごろ目立つ。だが一方、そんな主張への反発もまた大きい。

肝心なのは、真の国防軍備とはほんらい国民を守るためにある、という大原則だ。太平洋戦争末期の沖縄戦の記録は、軍部が国民の命より自分たちの利害を優先させたという悲しい史実を伝えている。軍備増強を説く前に、まずそこから自衛隊のあり方を議論すべきではないのか。

とはいえ、隣国は何しろ軍事大国のロシアと中国、そしてミサイル実験を繰り返す北朝鮮だ。原則論はともかく、抑止力として早急に日本も核武装すべきだ、という過激な声さえ無いではない。

だが日本が核武装すれば他国が脅威を感じ、「やられる前にやれ」と核ミサイルを発射する可能性もまた増す。日本海側の原子炉を狙われれば防御は難しい。甚大な被害を受けつつ核兵器で反撃すれば、あとは地獄へ一直線。だからあくまで平和主義を掲げ、外交努力に徹するのが最善の安全保障だ、という議論の方が説得力に富む。

ただし、ここで一つ心配がある。それはサイバー戦争のこと。つまり、ある国の軍事秘密組織が、仮面をかぶってネット経由で他国のデジタル・インフラに侵入し、集中攻撃を加えるという暴挙だ。これはいつ起こっても不思議はない。

「戦争」といっても、宣戦布告も無く、誰が攻撃主体なのか特定は難しい。国籍不明の犯罪者集団を装えば国際的批判も受けないですむ。それでいて、国家の政治・経済・社会の活動に深刻な打撃を加えられるのだ。

実際、二〇一六年の米国大統領選では、ロシアがトランプ候補を当選させるためのサイバー介入を行ったという（ロシア政府は認めていない）。隣の諸国におけるデジタル能力の高さを考えると、油断は禁物だろう。

一般に、日本のデジタル・ネットは外敵の侵入にたいして脆弱だと言われてきた。この国のデジタル技術は伝統的にクローズド処理中心であり、ネットによるオープン処理にはなじみにくい。効率向上のみをめざしてデジタル化を急げば、とかく安全性がおろそかになる。徳島や大阪の病院が狙われて診察不能に陥ったり、トヨタの関連会社の部品納入がストップしたり、すでに被害は出ている。

日本の警察は優秀だが、自治体別の組織編成なので広域サイバー犯罪への対処は苦手だと聞く。警察庁主体の統合的専門捜査部門が発足したのはようやく二〇二二年四月のこと。

繰り返しになるが、サイバー攻撃の相手が犯罪者なのか国家なのか不分明な点が問題なのだ。防衛力増強を語るなら、防衛省と警察庁が緊密に連携し、デジタルな防壁を固めることが第一ではないだろうか。

ところでデジタル庁は、マイナンバーカードと保険証の一体化に懸命のようだ。そうすれば便利になるという。だが国民の不安は、一括管理される情報がネット経由で流出してしまうことである。病院は特にサイバー攻撃の対象になりやすい。

個人データが外部の第三者に知られる弊害はさまざまだ。たとえば、ある人物やその家族が難病を患っていたり、遺伝的に発病の恐れがあったりする場合、保険会社にとってそれらは貴重な情報だろう。商品として売りつける犯罪者もいるかもしれない。就職や結婚に影響して人権問題につながる可能性もある。

無数の悪質なハッカーが国境をこえて暗躍する現在、デジタル庁は医療データ流出の危険がゼロだと断言できるのか。

民主主義国家の安全保障とは何より、国民一人一人の平穏無事な生活を守ることのはずだ。

II

読書日記——さまざまな言葉の響きから

1―人間のモノ化に抗う

根が深い「反動」的世相

『そろそろ、人工知能の真実を話そう』（ジャン＝ガブリエル・ガナシア著、伊藤直子監訳、小林重裕ほか訳、早川書房）
『難破する精神　世界はなぜ反動化するのか』（マーク・リラ著、会田弘継監訳、山本久美子訳、NTT出版）

「何だかキナ臭い時代になってきたな、これは反動じゃないか」――同窓会で久しぶりに旧友たちと歓談していると、そんな声が耳に入ってきた。欧州諸国の移民排斥やナショナリズム、米国大統領の言動など、世界情勢の話らしい。いくら政治オンチの私でも、そのくらいは分かる。何しろ団塊世代は、戦後の近代主義と進歩主義の洗礼をうけて育ったのだから、反動という言葉には敏感なのだ。

おとなしく耳を傾けていると、「だいたい行き過ぎたグローバリゼーションのせいなんだよ、お前、人工知能が人間の職場を奪っていいのか」と、いきなりこちらに矛先が向けられる。「いや、それは誤解だ、人工知能も万能じゃない」と反論しようとして、頼りになる本を思い出した。情報技術に通じたフランス哲学者ガナシアの啓蒙《けいもう》書である。

内容は『そろそろ、人工知能の真実を話そう』という邦題そのもの。ばかげた夢想から目をさまし、しっかり技術の本質を見つめよと冷静に説く。核心は、「シンギュラリティーの神話」という原題に象徴されている。やがて人工知能が人間をしのぐ超知性体になる日が到来するというシンギュラリティー（技術的特異点）仮説など、何の科学的根拠もない神話、まさに現代のグノーシス主義だと著者は言い放つ。はて、グノーシス主義とは何ぞや。たしかキリスト教最大の異端だったな、と思い当たれば「意志や人格を持つロボットなんて、古くさい迷信と同じ」という近代合理主義者の真っ当な、そして常識的な結論に導かれる。

だが、どっこいここで「いや待て、まだ一件落着とはいかないぞ」と告げるのが、人文学者リラの恐るべき著作『難破する精神』なのだ。ページを繰っていくと、さえた筆の運びの中で、問題のはかりしれぬ深さ、そしてぞっとする不安が迫ってくる。

扱われているのは、文字通り「反動」つまり歴史的進歩に逆らう思想の数々である。およそ右の保守にせよ左の革新にせよ、歴史的進歩そのものは否定しないから、人工知能のような技術もそれなりに認める。だが、反動思想は違う。それは、時間の流れをさえぎり、人工知能はもちろんあらゆる先端技術に「止まれ」と叫ぶ、難破を覚悟の反近代の叫びなのだ。攻撃対象は科学主義、合理主義、啓蒙思想などであり、かつての神聖なる黄金時代への絶望的ノスタルジーが語られる。近代主義者は進歩だと言うが、もたらされたのは大量殺人兵器、ひどい環境汚染、破壊された共同体、欲望にとらわれさまよう孤独な魂以外の何なのか、というわけだ。

ノスタルジーを語る思想家の中でとくに目を引かれたのは、ドイツ生まれの反ナチス主義者で、アメリカに亡命した巨人エリック・フェーゲリンだ。なぜなら、この人物は「古代のグノーシス主義こそが諸悪の発端だ」と断ずるからである。グノーシスとはギリシャ語で「知識」のこと。そこでは神と人間が同等となる。つまりフェーゲリンによれば、神への畏敬《いけい》を忘れ、人間が世界を改変できると思い込んだことが堕落の始まりだったということになる。

こうして、人工知能への過大な期待をグノーシス主義と見なす言葉は、ガナシアの批判をはるかに超え、近代合理主義そのものへの異議申し立てと化していく……。

科学技術の教育をうけた私には、フェーゲリンの思想に全面的に同意することは難しい。にもかかわらず、そこに人々を引きつける強い魅惑を感じずにはいられないのだ。現代の反動的世相の根は深いのである。

文理の溝またぐ「新実在論」

『有限性の後で　偶然性の必然性についての試論』（カンタン・メイヤスー著、千葉雅也・大橋完太郎・星野太訳、人文書院）
『なぜ世界は存在しないのか』（マルクス・ガブリエル著、清水一浩訳、講談社選書メチエ）

現代人がいちばん信じているものって何？――クイズの答えは「科学技術」。祭司である専門家のお告げには誰も逆らえず、うやうやしく従うのみ。私は子供の頃、科学理論以外はみんな非合理的な迷信だと広言していた。かえりみると、まさにそんな思いこみこそ狂信というもので、自分の幼稚さが恥ずかしい。でも「文系学部なんて不要だヨ」とうそぶくエラい人の頭脳もだいたいその程度ではないかな。

ともかく、理系と文系の思考の違いは大きい。前者はおもに素朴な実在論にもとづいていて、人間と関わりなく客観的に世界が実在していると見なす。その中を実証と論理で探究していけるという絶対主義だ。一方、後者はあくまで人間が人間特有のフィルターを通して世界を眺めているというスタンス。だから、主観的に多様な世界がありうるという相対主義となる。この二つは水と油で、後者からすれば、科学的真理も疑わしいものとなってしまう。

欧米では両者が火花を散らし、サイエンス・ウォーズが起きたこともあった。この国ではそんな論争などは無く、いたって平和なのだが、これを知的怠惰と考える私はヘソ曲がりなのか。

うれしいことに、二十一世紀になって、文理の溝をまたごうとする若き哲学者の一群が現れた。彼らが説く「新しい実在論」の旗手をつとめるのはフランスのカンタン・メイヤスーやドイツのマルクス・ガブリエルら。メイヤスーの『有限性の後で』とガブリエルの『なぜ世界は存在しないのか』はそれぞれの代表作である。

相対主義の乗り越えは容易ではない。どう考えてもわれわれは、自分の脳や感覚器官という制限なしに世界を眺めることなど不可能だ。カントが言ったように、認識できるのは現象、つまりわれわれにとっての世界の表れにすぎず、物そのものは分からない。人間はそういう有限な運命のもとにある。

だがメイヤスーは有限性を認めた上で「では、宇宙の起源だの地球の形成だのといった、人間が誕生する前の出来事に関する科学理論は何を意味するのか」と問いかける。それは実在の数学的記述ではないのか。人間の認識や記述がすべて相対的だとすれば、当の記述自体も相対的で、確かなものなど無くなってしまう。そして精密な議論を重ねて「絶対的事実はあるよ」と結論づけるのだ。

科学技術者にとってはうれしい議論だろう。ただしその代わり「世界に必然的なものなどなく、確かなのは偶然だけ」というケセラセラの結論になってしまうのだが……。

同じく新実在論でも、ガブリエルはメイヤスーの批判者で、論法も全く異なる。こちらは「全てをおおう世界なんて無い」と断ずるのだ。認識すべき体系的世界そのものを否定するのである。

存在するのは多様な対象の領域群であり、科学的領域もその一つ。そこでは主観によらない客観的な事実を論じることができる。

これは科学的領域だけでなく、文学や芸術の領域でも同様だ。全てを科学に還元する世界像が誤りなのであって、それぞれの領域で正確な議論ができる、ということになる。だから理系だけでなく、文系の学問もとても大切なのだ。

こういった新しい実在論は、過度の細分化で傷ついた知の大動脈を蘇生させる。客観的事実にたどり着く方法についてあまり明快でないのが気にかかるが、まあ、乞うご期待というところか。

科学技術の経済効果ばかりを追うのでなく、こんな哲学論議に親しむのも悪くない。

知識があふれる現代の病弊

『知ってるつもり　無知の科学』（スティーブン・スローマン、フィリップ・ファーンバック著、土方奈美訳、早川書房）

小学生の頃、次のようなクイズを出されたことがある。

——坂道で汗だくの二人連れと出会った。大人がリヤカーを引き、子供が押している。大人に「押しているのはあなたのお子さんですか？」と尋ねると「はい」という返事。今度は子供に「引いているのはお父さんなの？」と尋ねると「違うよ」という答え。ともにうそをついていないとすると、二人はどういう関係なのか？

正解は「リヤカーを引いているのは子供のお母さん」である。

『知ってるつもり』を読みながら、急にこのクイズを思い出した。というのは、正解を聞いたとき「ヘンだな、じゃあいったいなぜ、リヤカーを引いているのはお父さんなの、なんて聞いたんだろう」と不思議だったたからだ。

目の前にいるのだから、お父さんかお母さんかはすぐ分かる。だから子供への質問は「事情があって、どこかのおじさんを手伝っているの？」という内容だったはず。

それで幼い私は、なんて下らないクイズなのだろう、と腹が立ったのだ。

むろん、これを初等論理学の問題ととらえることはできる。「BはAの実子」「Bの父親はC」「AはCの配偶者」「父親の配偶者は母親」などといった論理命題を組み合わせ、正解を導くことは別に難しくない。こんな簡単な問題にとまどった私は無知な坊やということになるのだろうか。

だが、人間の日常的なコミュニケーションは普通、かならずある特定の文脈のなかで行われる。大切なのは表層の論理でなく、真意を見抜くことなのだ。抽象的な論理的知識にもとづく推論が常に有効とは限らない。この問題でも、すべての場合に正確に推論しようとすると大変である。家族関係にも内縁だの養子関係だののいろいろあるだろうし。

実はこういう点が、いまブームとなっている人工知能の難問なのである。コンピューターは、推論は得意だが文脈をつかむのは苦手なのだ。

さて、スローマンとファーンバックによる本書は、人工知能を宣伝するための本ではない。知識があふれている現代において、われわれがいかに無知であるのか、にもかかわらず知識を持っていると錯覚しており、それゆえ薄っぺらな意見に流されて誤った判断をしているのか……。著者は深刻な病弊を鋭く指摘する。

科学技術から社会、経済、医療、その他、知識の量は際限がない。個人がそれらを独り占めすることは事実上ムリだ。だから他の人々の知識をいわば外部記憶として「知識のコミュニティ」を活用せよ、というわけである。実例も多く、なかなか説得力がある。この国では衆知を集めたチームプレーの伝統があるが、個人の才能にたよりがちな欧米では、こういう主張が新鮮なのだろうね。

良書であることは間違いない。だが、読後に違和感がのこるのはなぜだろうか。

たぶん本書では、人間が一種の「情報処理体」と見なされているからではないか。ゆえに、知識量が増すと個人は合理的決定ができなくなるという懸念が出現してくる。著者は認知科学者で、もともと認知科学はコンピューターをモデルとして発展してきたのだから無理もない。

しかし、われわれ人間は、機械とは本質的に異なる存在ではないのか。そういう議論は認知科学の一部でもなされている。

インターネットにあふれている情報を、論理的秩序を持つ知識の集塊として整理し、活用する努力はむろん大切だ。だが一方で、人間はいつも一回かぎりの文脈のなかに投げこまれて生きており、単なる情報処理体ではないという真実もまた、忘れたくない。

生産中心主義への批判

『呪われた部分　全般経済学試論・蕩尽』（ジョルジュ・バタイユ著、酒井健訳、ちくま学芸文庫）
『第四の革命　情報圏が現実をつくりかえる』（ルチアーノ・フロリディ著、春木良且・犬束敦史監訳、先端社会科学技術研究所訳、新曜社）

ある国会議員が性的少数者について「ＬＧＢＴカップルは生産性がないのに税金で支援してよいのか」と発言して問題になった。赤ちゃんを産むことの大切さを訴えたかったのかもしれないが、何より驚いたのは「生産性」という言葉である。人間はいつから生産性向上のための道具になり果てたのか。

工学部を出てすぐメーカーに就職した。そこで常に追求されていたのは生産性向上。だから生産性とは工業製品をつくる効率の尺度かと思っていたが、今や社会的目標になってしまったらしい。

『呪われた部分』は、こういう考え方に決然と反対する。いわく人間は、生産ではなく、消費のために生きている。富の生産よりむしろ消費、とくに蕩尽《とうじん》に着目するのがバタイユの経済学に他ならない。底無しの蕩尽としての祝祭やエロスの高揚が、人間の内奥の歓喜をかき立てるのだ。

七十年ほど前に唱えられたこの思想は、バブル景気の頃にはかなり注目を集め、「消費の美学」などともてはやされたものだ。そのあと下火になった理由は、不況もあるが、内容の核心が危険なほどに深く、難解だからだろう。

だが、このたび刊行された酒井健さんの新訳は、本文中に適切な注記が挿入されていて読みやすいし、解説もすぐれている。

バタイユが生産より消費を重んじる根拠はエネルギーの流れにある。地球上の生物は太陽から過剰なエネルギーを受けとっている、という理屈だ。確かにエネルギーは衣食住に不可欠だが、近ごろ言われる生産性とは、エネルギーというより、経済的価値をうむ効率のことだろう。

だが、市場できまる経済的価値とはじつに不思議なものである。奇怪な現代アート作品に何億円という値段がついたり、汗をかいて動き回るだけのスポーツが巨利を生んだりする。

どこか喜劇的だ。

いったいバタイユが至高の体験と見なしたものとは何だろうか。この人物はフランスのカトリック信仰の中心地ランスで育った。そこには有名なゴシック大聖堂がある。私はしばらくランスに住んでいたことがあるが、静寂な大聖堂の中でステンドグラスから漏れてくる光をじっと眺めていると、ふと身が震えるような感動に包まれたものだ。

宗教改革をへた西洋社会は、蕩尽の証しである大聖堂を捨て有用性追求の虜《とりこ》となった。「時は金なり」である。

そしてインターネットによるグローバル経済の到来とともに、この傾向はますます強まっているのではないか。

デジタル社会を語る諸説のなかで、ルチアーノ・フロリディの『第四の革命』はまともな方だ。近年「やがてロボットと人間との境界はなくなる」などと妄言を吐く困った学者もいるが、ロボットは言葉の意味を何も理解していないと、フロリディは正しく指摘している。だが、その議論においてさえ、人間は「情報有機体（inforgs）」という一種のデジタル部品に格下げされてしまう。そういう社会への変化を「革命」として称賛するのである。

バタイユは人間を「物」としてしか見ない近代的な生産中心主義をきびしく批判した。

「一人の人間にとって大切なのは一個の物であるだけでなく、至高に存在することでもある」と説くのである。

人工知能やロボットの技術自体の進歩発展は望ましいことだろう。だが、その追求が人間の本質を傷つけてはまずいのではないか。

われわれは今、生産性向上というかけ声のもと、人間の機械部品化にむけて突っ走っている。このありさまをバタイユが見たら、いったい何と言うだろうか。

生命現象めぐる大胆な仮説

『バイオエピステモロジー』『ニュートン主義の罠　バイオエピステモロジーⅡ』（ともに米本昌平著、書籍工房早山）

生物と機械とは根本的に違う。だから、ＡＩ（人工知能）が人間の仕事の一部を代替しても、われわれの仕事がなくなることなどありえない。

私の説くアタリマエのＡＩ論はそんなものだ。これを鼻でせせら笑う学者もいる。じゃあ人権はどうなる、人間も市場で売買するのかと反論したくなるが、実は生物と機械の異同をめぐっては長い学問的議論があった。「機械論vs生気論」という二十世紀の大論争である。

機械論は、生命現象を物理や化学で説明しつくせると主張する。一方、生気論はそれでは不十分だという。なぜなら生物は、自らの体を発生・維持する目的にそった「秩序化」の働きを持つからだ。生気論者の代表が、二十世紀初めのドイツの生物学者ドリーシュである。

現在、ドリーシュの学説はエセ科学の代名詞となってしまった。とくに二十世紀後半の分子生物学の興隆後は、生物現象を分子の化学によって探ることが生命科学の主流となっている。ドリーシュの生気論など過去の遺物にすぎないというわけだ。

これに対して真っ向から挑戦状をたたきつけるのが、科学史家の米本昌平さんである。ドリーシュの学説から新たな洞察が得られると指摘し、生命現象は分子の化学では論じつくせないと熱く語る。『バイオエピステモロジー』が説くのは、研究者が生命をいかに認識すべきか、という壮大な哲学的見解そのものだ。『ニュートン主義の罠』ではさらに焦点を絞り、物理学の基本である「熱力学第二法則」が生物現象については成立しない、という驚くほど大胆な仮説を提示する。いや、まことに面白い。

熱力学第二法則とは、時間とともにエントロピーが増大すること、つまり、時間がたつと物事の秩序が失われ世界がバラバラになっていく、ということだ。せっかく作った砂のお城も、やがて自然に壊れてしまうのである。

米本さんは、この法則が、天体をモデルにしたニュートン力学から得られたという。確かに、球形の大量の微粒子が空間を自由に飛び回る時、その統計的性質から導かれるのがこの法則に他ならない。

だが、細胞内の自然はそんなものではない。多様な形をした高分子群が水のなかで絡みあい、複雑に反応しあっているのが実情である。とすれば、生物の体内は熱力学第二法則が成立しない特殊な局所宇宙だという気がしないか。天体モデルをそのまま細胞内に持ち込んだことが、ニュートン主義の罠だったのだ。

ひとたびこの前提に立つと、生物という存在の別の姿が見えてくる。もはや分子の単なる機械的相互作用によっては生物をとらえ切れない。生命現象を、実験室内の分子反応の集積としてだけではなく、常温の水溶液中という現実の条件のもとで、徹底的に問い直す必要性がくっきり浮かび上がってくる。

目的を持って秩序をつくり、生きていく生物なるもの。その秘密は、まだまだ解き明かされていない。「生物と機械を分かつ境界線などない」という粗雑な断定は、見直しが不可欠なのである。

ここで私は「心を持つ機械」を喧伝するＡＩ楽観論を思い出さずにはいられない。とかく科学技術者は、新たな発明発見で舞い上がってしまい、万事解決したと思い込む。そしてまた、はやりの大言壮語に同調し騒ぎたてるお調子者も少なくない。

しかし、われわれの獲得した知の領域など、ごく一部でしかないのだ。生命や情報の世界には、まったく未知のことの方が多いのである。

文化的存在としての科学

『日本近代科学史』（村上陽一郎著、講談社学術文庫）

「専門は文系理系どっちですか」と学生からよく尋ねられる。「情報の学問は文理融合だよ」とかわすが、留学生の中にはさらに「先生って日本人らしくないですね」と踏み込んでくる者もいて、ちょっと戸惑う。大半の日本人の学者は一つの分野を修め、あとは行儀よく階段を上っていくだけだとすれば、私は変わり種なのかもしれない。

出身は工学部の中でも数理的色彩が強い学科だが、近ごろは数式無しの縦書き文章を書くことも多い。文理融合なんて言うな、お前はただ中途半端なだけじゃないか、というご批判は甘受しよう。

ともかく、この国の学問が異常なほど縦割りで、特に文と理の断絶が他国より深いのは紛れもない事実である。このことは「自然科学」「人文科学」「社会科学」をつらぬく「科学（分科の学問）」という言葉に象徴されている。だが近代科学をうんだ西欧では元来、文と理にまたがる学問はリベラルアーツとして同根だった。

情報化、グローバル化、地球環境汚染などの進展とともに、過度の専門分化の弊害が叫ばれてきたが、一向に改まる気配はない。日本の科学と技術はこのままでいいのか、と首をかしげるのは私だけではないはず。『日本近代科学史』はそんな疑問の持ち主にとって得難い書物である。

この本の初版刊行は一九六八年だというが、半世紀たった今も内容は決して古びていない。こういう「大きな物語」が書かれたのも、当時は大学紛争真っ盛りで、キャンパスでは社会哲学が問われていたからだろうか。

著者は言わずと知れた科学史・科学論の大御所である。五十年の時の流れに思いをはせながら、近年珍しくなった重厚な文章をたどっていくのはとても楽しい。

いったい科学と技術とはどう異なり、またどう関わるのか。日本の技術の優秀さは誰しも認めるし、科学的貢献も少なくないのに、原理的な研究成果が乏しいのはなぜなのか。そもそも、日本人の心性の中で科学はいかなる存在なのか。科学が一種の「信仰」と化すなら、はたして「科学技術大国ニッポン」の未来に光明はあるのか……。

こういった面倒な疑問が、きちんとピントの合った歴史考証によって浮かび上がり、もつれた糸がほどけるように徐々に答えが見えてくる。

十六世紀の鉄砲伝来から、キリスト教の到来と禁教。江戸時代の蘭学。そして明治以降の、富国強兵をめざす国家が行った洋学の性急な輸入。その経緯をたどると、根の切れた断片知の集積のような科学と技術がなぜこの国ではびこっているのか、少しずつのみ込めてくる。

著者は、西欧における自然観とは「人間を自然から切り離し、自然の外に立つ観測者の位置(それはある意味で神の位置でもある)に人間を置く」ものだととらえる。被造物からなる自然界は合理的にできているのだが、これを探究する者は「神の似像《にすがた》である人間が、神の立地点に自分を置いてみる」という試みをおこなうのだという。

まさに卓見ではないか。西欧由来の科学とはそういう特殊な文化的存在なのだ。

ここで私は最近のAI(人工知能)ブームを想起せずにはいられない。今この国で横行している近視眼的なAI論では「人間よりすぐれた知性」が語られるが、そこで神と人間との関係が問われることは少ない。だが、それこそが肝心な点なのである。

文化的背景を問わずに手近な果実だけを追求すること、この軽薄さは、日本の科学と技術のアルファでありオメガなのかもしれない。

道徳なく利追う社会に懸念

『サンデル教授、中国哲学に出会う』（マイケル・サンデル、ポール・ダンブロージョ編著、鬼澤忍訳、早川書房）

しばらく前、『ハーバード白熱教室』というＮＨＫのテレビ番組がとても評判になった。米国ハーバード大学教授マイケル・サンデルの人気授業がくわしく紹介され、さらに同教授が来日し東大で行った授業の様子も放映された。

視聴者の心をギュッとつかんだのは、何より授業の巧みさである。サンデルは一方的に学説を講義するのではない。まず学生たちに倫理的な難問を示し、自由に討論させながら、正義とは、道徳とは何かを自然に考えさせていく。

実に見事な対話授業で、英語教材になったりしたが、かえってその巧みさが肝心の点を隠してしまった。つまりこの国では、サンデルの教育技術ばかりが話題になり、その哲学自体は広く理解されたとは言い難いのである。

中国ではだいぶ事情がちがうようだ。『サンデル教授、中国哲学に出会う』を読むと、そのことがよく分かる。

サンデルが唱えるのはコミュニタリアニズム（共同体主義／共和主義）である。米国では功利主義とならんでリベラリズム（自由平等主義）とリバタリアニズム（自由至上主義）が倫理思想の代表格だ。弱者に配慮しつつ自由を尊重するリベラリズムはインテリに支持されてきたが、経済的グローバリズムの進展とともに最近はあまり人気がない。一方、個人の所有権をあくまで市場で追求するリバタリアニズムの勢いは大変なもの。

サンデルはリベラリズム批判で頭角をあらわしたが、真の標的はむしろリバタリアニズムだと言える。つまり、伝統的道徳や同情心をかなぐり捨て、万物に値札をつけて取引する社会は正しいのか、それは一部の層だけを富ませる不幸な格差をもたらさないか、という強い懸念を表明しているのだ。

この懸念の実験場とも言えるのが、近年の中国社会だとすれば、サンデルの公共哲学が中国のインテリに熱狂的に迎えられるのも当然だろう。彼らはまことに真剣だ。ある儒教研究者は「儒教の立ち位置は、共和主義が唱える徳の促進と間違いなく相性がいい」と断言する。

むろん両者に相違はある。儒教は個人の内面道徳に重きをおくが、共和主義は市民としての公的美徳を促そうとする。だがサンデルは、個人の善にもとづかないかぎり、社会的正義など実現できないと考えるのである。

この本で扱われる中国哲学は儒教だけではない。道教研究者からの指摘も面白い。陰陽にもとづく古代の道教思想は補完と相互依存を強調するので、「女性の排除や男女の分け隔てなどはほとんどなかった」とある女性研究者は述べる。昔の中国女性は、共同体の中で立派な道徳的地位を保っていたというのだ。

共同体における善だの道徳だのというと、日本では本能的に警戒する人が少なくない。戦前の国民道徳の強制と敗戦の記憶がよみがえるからだ。だが少なくとも、サンデルが排外的ナショナリズムに反対していることだけは強調したい。「国境を強化し、部内者と部外者の区分を固め」ようとする権力者に米国の政治を任せないために「道徳に関する公の対話」が必要だ、というのがその主張なのである。

中国においてサンデルの哲学が注目されているのは、人々が相互扶助や公共心の劣化に悩んでいるからだろう。だがそれなら、事情は日本でもまったく同じはずだ。

この国の多くの人々は、海外の道徳なきビジネスや技術をひたすら追うことが進歩だと思い込んでいる。それがリーダーシップをとる米国の文化的特徴だと見なしているのだ。しかしこの断定は一面的すぎる。米国人の心のなかに素朴で温かいコミュニタリアニズムがあることは、暮らしてみればすぐ分かるのである。米国のコミュニタリアニズムを真剣に考察することで、この悪癖を克服できればよいのだが。

人間を「モノ」と見なすのか

『サイボーグ化する動物たち　ペットのクローンから昆虫のドローンまで』
（エミリー・アンテス著、西田美緒子訳、白揚社）

SFファンは別として、『サイボーグ化する動物たち』というのは不安をかき立てられるタイトルではないだろうか。原題は「フランケンシュタインのネコ（Frankenstein's Cat）」で、この方が意味深長だが、頁《ページ》をめくると内容はさらに衝撃的そのものだ。

美しい蛍光色を発して水槽で泳ぎ回る観賞魚。卵からたちまち成魚に成長する鮭。闇の中、鼻先があやしく緑色に光る猫（原題のネタ?）。その他、地上に存在しなかった動物たちが、これでもかとばかり登場する。すべてバイオ工学の遺伝子操作技術の成果物。本書は、科学ジャーナリストによる先端研究の驚くべき報告書である。

もう身近なものもある。安全性が確かめられた遺伝子組み換え食品はすでに市場に出回っている。それらはバイオ工学によって生産効率が向上した食品なのだ。

むろんコワイ話もある。軍事利用のためにバイオ工学とコンピューター工学が結びつくと、だんだんSF戦争映画めいてくる。どうやら海外の諜報《ちょうほう》機関には、昆虫と機械のハイブリッドをスパイに仕立て上げ、ひそかに敵陣におくりこんで働かせるという計画があるらしい。

甲虫を冷凍庫にいれて感覚を鈍くしてから、細いワイヤを突き刺し、背中に小さな電子装置を張りつける。できあがったサイボーグ昆虫の脳に無線で信号を送りこむと、虫は操縦者の意のままに目的地まで飛び、敵の情報をこっそり収集してくる。昆虫は生体エネルギーをもつので電池もいらない。近未来の諜報戦争では、ロボット昆虫軍団が活躍するのだろうか。

こういった技術を、玩具用に使おうという試みもある。ゴキブリを氷水に漬けてから、二本の触角の先端を切ってワイヤを差し込む。すると電気信号をゴキブリの神経系に直接送れるようになる。安価なサイボーグ昆虫の出来上がり。ゴキブリは右折だの左折だの、操縦者の思うように動く。こんな玩具がたった九十九ドルで買えるのだ。

バイオ工学を駆使したこれらのさまざまな研究は、動物福祉の専門家から必ずしも歓迎されてはいない。動物と人間の境界は絶対的ではない、というのが彼らの主張なのだ。だから動物にも権利があり、苦痛を与えてはならないし、人間が自分の利害のために自然に勝手に介入するのは許されないという議論になる。

たしかにバイオ工学には、どこか動物を「単なるモノ」と見なしているようなところがある。進化論的には人間も動物と同類なのに……。

とはいえ、大昔から人間は動植物を交配させて品種改良してきた。互いに利用し、利用されながら生きていくのが生命の営みだとすれば、バイオ工学を単純に責めることはできない。蛍光を発する観賞魚はとくに苦しんでいる様子もない。むしろ、バイオ工学によって、動物の病気を予防したり、絶滅種を再生させたりできるかもしれない。だから、動物福祉の観点からも、バイオ工学を罪悪視するのは一面的すぎる。

ただ問題なのは、人間も動物である以上、バイオ工学の操作対象となりうる、ということなのだ。

動物の遺伝子をいじって改変するのと同様の技術を人間に用いる研究は、すでに始まっている。まあ最初は、病気の治療が目的だろう。だがやがて、「改良」に向かって舵《かじ》を切るのではないか。

このとき、人間を「単なるモノ」「コンピューターで処理できるデータ集合体」と見なす思考の浅薄さが、決定的に問われることになる。

果たしてわれわれに、答える準備があるだろうか。

今、死の重みを正面から

『魂と無常』（竹内整一著、春秋社）

長寿時代になって、年をとってもなかなか死ねない。体がつらい毎日を続けるのはイヤなので、高齢者は健康第一の生活。私もその一人だが、突然襲ってきた新型コロナウイルスによって、急に「死」が身近になってしまった。死んだらどうなるのか――霊魂など信じていなくても、そんな疑問が雲のように湧く。

『魂と無常』の著者は倫理学者で、私は以前から話を直接うかがう機会があった。「おのずから」と「みずから」の関係性、それが著者の研究テーマである。

魂とは一体何か。それは、「みずから」を「みずから」たらしめうる、ある種の凝固への傾向を持つが、と同時に根本的には、「おのずから」の大いなる働きの現れでもある、と著者は述べる。

粗っぽく言えば、魂とは個人主体的なものである半面、普遍的で自然につながるものでもある、ということか。著者は、川端康成の「魂という言葉は天地万物を流れる力の一つの形容詞に過ぎない」という言葉をきっかけに、本書の筆を起こしたとのこと。

先人の遺《のこ》した文章から、探究の旅がはじまる。まずは西田幾多郎。この名高い哲学者が、数えで六歳の娘を亡くし、その痛切な悲しみをもとに独自の思想的境地をひらいたということを、私は知らなかった。西田にとって哲学の動機とは、論理的興味ではなく、「深い人生の悲哀」だったのである。目の前で遊んでいた愛娘が突如消えるとは、一体いかなることか。娘の生の意義はどこにあるのか。西田は、「人間の霊的生命はかくも無意義のものではない」と自己確認するために、きびしい思索を続けていったのだ。

霊魂とは、言うまでもなくキリスト教の主題でもある。ここで着目されるのは、国木田独歩と正宗白鳥。死を見つめて信仰と対峙《たいじ》した彼らの苦闘は本来、西洋文明を受容した全ての近代日本人の宿命なのかもしれない。

最後に著者は、近代以前の日本人の心である「無常観」を求めて「徒然草」にたどりつく。「死は前よりしも来らず、かねて後に迫れり」と断じる兼好法師は、死というものが、生きている中ですでに始まっていると知っていたのだ。

だから兼好の「つれづれ」とは、今ここにある「みずから」の凝固をいわば寛《くつろ》げ、より

「おのずから」（無常・自然）の方に解き放とうとする営みなのである。

さて、読み終えて私はふと思う。こういった無常観にもとづく霊魂論がなぜ今、とても新鮮に響くのだろうか、と。むろん学問的考察を踏まえた教養書なのだが、そこに流れる心情を、おそらく五十年くらい前まで、ほとんどの日本人が持っていたのである。死は身近なものであり、その重みを正面から受け止めることが、生きるということだった。いったいなぜ、われわれはそういう心情を忘れてしまったのか。

死とは、周囲に耐えがたい悲哀をもたらすだけでなく、まさに一つの世界の消滅なのだ。だからこそ、個々の命は普遍的な価値を持つ。

二〇二〇年三月、障碍者施設で入所者を殺傷した被告に死刑が宣告された。被告は「役に立たない人間は殺してもいい」という偏見の持ち主のようだ。

おぞましい考えだが、これをきちんと否定する論理を、われわれは持っているのだろうか。この世で一番大切なのはおカネなんだ、という単純な価値観は、被告のゆがんだ考えと意外に近いのではないだろうか。

コロナウイルスの襲来は、短期的な損得勘定が万事に優先する、という思い込みに静かな警鐘を鳴らしている。

人間の尊厳につながる自由

『新実存主義』（マルクス・ガブリエル著、廣瀬覚訳、岩波新書）
『「私」は脳ではない　21世紀のための精神の哲学』（マルクス・ガブリエル著、姫田多佳子訳、講談社選書メチエ）

新進気鋭のドイツ観念論の論客として、ガブリエルの評判は近年ますます高い。同じく新実在論を説くカンタン・メイヤスーとともに、その著書を本欄で紹介したこともあった。今回の二冊はさらに、もう一歩踏み込んだ感じがする。

まず、『新実存主義』というタイトルにあっと驚く。サルトルやボーヴォワールの実存主義哲学は、私のような世代には忘れがたいものだ。だが、一九六〇年代のサルトルとレヴィ＝ストロースの論争は、政治的な実存主義に終止符を打ってしまったはず。自由に決断し未来を切り開く存在こそ人間だと見なすサルトルに対し、人間は社会的・文化的な「制約＝構造」のもとにあると主張したのがレヴィ＝ストロースであり、サルトルはその軍門に降ったのである。そこには、白人による理性重視の啓蒙主義が、アジア・アフリカの有色人文化を侵略する口実に使われた、という歴史的背景があった。文明社会と未開社会の優劣など無い、というわけである。

ここで私は、六〇年代末の学生紛争を思い出さずにはいられない。パリのカルチエラタンでは、構造主義を奉じる若者たちが決起した。呼応するように東京の神田で学生たちがデモ行進をしたのだが、このとき、レヴィ＝ストロースの構造主義よりむしろ、サルトルの左翼的な実存主義を支持した若者が多かったのである。本来なら、自分たちは有色人なのだから構造主義を奉じるべきなのに。このあたりが、西洋をどこまでも崇拝し名誉白人になりたがる日本人の奇妙なところだ。

さてそれ以降、この国の状況はどうなったか。構造主義／ポスト構造主義の哲学はいつしかポストモダンの消費文化に化け、また一方、インターネットの普及とともにグローバル経済が花開いた。たまたま米国とフランスに滞在したことのある私は、この経緯を身近で眺める羽目に陥った。

そして今、人間を「脳を持つ機械」と見なす風潮が猛威を振るっている。名高いシンギュラリティー（技術的特異点）仮説はその代表だ。

著者は正面からこの風潮を否定する。『「私」は脳ではない』の議論はとくに説得力がある。存在するのは物質だけであり、心（精神）を物理的に説明することが進歩だと信じている「ニューロ（神経）中心主義」は、ユーモラスかつ徹底的に撃破されていく。物理的な脳はむろん人間の思考にとって不可欠だが、それは思考の必要条件であっても十分条件ではない。だからわれわれ人間は、自己イメージを通じ、限りなく変容していく可能性を持つ。そこに「自由」があるというのだ。

むろん著者は古臭い白人中心主義を否定するが、あくまで人間の尊厳につながる自由を求める点で、カントからヘーゲルにいたるドイツ観念論的な、新たな実存主義者と言えるのではないか。

問題なのは、ニューロ中心主義が一種の野蛮化だという点だ。著者は、「ポストヒューマニズムやトランスヒューマニズムの万能幻想、並びに、シリコンバレーの神々の手の内にある、すべてが絡み合うデジタル革命」をこの野蛮化に結びつける。ウーン。まさにその通りなのだが……。

人間のサイボーグ化を警告するこういう主張を、古典的な啓蒙主義に過ぎないと批判する意見もあるだろう。目立ちたがり屋のエセ文化人には、そんな主張をする者が多いのだ。だが、計算高い彼らの薄っぺらな議論は、この二冊の前で顔色を失う。

著者は八〇年生まれの若手哲学者である。はたして今後、どんな新実存主義を語ってくれるか楽しみだ。

2 ― 科学の限界を知る

翻訳は共感的な行為である

『考えるための日本語入門　文法と思考の海へ』（井崎正敏著、三省堂）

外国語の翻訳を自動的にしてくれるＡＩ（人工知能）の機械翻訳が話題になっている。多言語翻訳ができるスマホのアプリもあるようだ。道案内などには便利だろう。だが先日「もう外国語の勉強なんていらない」という声を聞いてビックリ仰天した。

ウェブ上で日英／英日の機械翻訳結果を検索すると、たしかに平凡な短文ならうまく訳してくれるが、複雑な凝った長文では、とんでもない誤訳も出てくる。時間がたてば、誤訳は技術的に解消されるのだろうか。

『考えるための日本語入門』を読んで、やっぱりダメだと確信した。ただし、これはＡＩを語る本ではない。日本語で考え、言葉をかわすとはどういうことかを、根底から論じた力作である。著者は評論家だが、昔は敏腕な編集者として鳴らした人物だった。現場体験をふまえた議論には強い説得力がある。達意の文章を読んでいくと、日本語の文法構造が英語などの西欧語とどう異なるか、ジワリとのみこめてくる。

機械翻訳は当初、あらゆる言語の深層には普遍的な共通構造があり、辞書と文法を入力しておけばコンピューターの形式処理で相互に変換できる、という信念から出発した。典型的な文章というのは、動詞などの述語が中心で、これを名詞などがさまざまな「格」づけで修飾している、という格文法の考え方だ。なるほど、そう言われればそんな気もする。となると、日本語の主語の後の「が」や「は」は、主格を示す助詞なのだろうか。

——いや、必ずしもそうではない。有名な例は「象は鼻が長い」である。このとき主格は象か鼻か。また料理屋で「僕はウナギだ」と注文する文章はどうか。格文法にしたがうと、僕はウナギに変身させられてしまう（難問の答えは本書を読んでください）。

というわけで、日本語は西欧語とはかなり違う文法を持っている。そればかりか、世界の言語の文法は非常に多様なのだ。なぜなら言葉は、それぞれの共同体の人々が対話と了解をくりかえしながら創りあげた独特の世界観を体現している。神が与えた唯一の普遍論理を、表むき別の音や文字で表すわけではない。

実際、普遍主義的なＡＩは挫折した。現在の機械翻訳はむしろ用例中心である。つまり、原文と訳文のペアをたくさん集め、頻度の高い訳を出力するのだ。でも、それで小説や法律を訳せるのか。そもそも翻訳というのは、形式的な作業ではない。翻訳者が原文を共感的に解釈して訳文を創造する行為なのである。

著者は述べる、「言葉は私たち自身をかたちづくっている」「論理と呼ばれるものも、概念による思考の筋道のことであり、人間世界を超越した厳格な基準などではない」「そういう意味では、論理は倫理である。他者に通じさせたい、他者と思いを共有したいという意志がなければ、論理は成立しないからだ」と。

論理は倫理——何といい言葉ではないか。コンピューターは論理記号の高速処理はできるが、倫理観は持っていない。なぜなら倫理とは、身体経験がもたらす共感が支えるものだからだ。

さて、こう述べてくると、私は機械翻訳反対派だと思う人がいるかもしれない。これは全くの見当違いだ。機械翻訳ＡＩこそは、外国語学習の便利なツールである。辞書も用例も文法書も内部に完備しているのだから。

つまり、機械翻訳の登場で、外国語学習が不要になるのではない。逆にそれは、われわれに文化的刺激をあたえ、外国語学習をとても魅力あるものにしてくれるのである。

AI万能論、罠に敏感に

『入門・世界システム分析』『ヨーロッパ的普遍主義　近代世界システムにおける構造的暴力と権力の修辞学』（ともにイマニュエル・ウォーラーステイン著、山下範久訳、前者は藤原書店、後者は明石書店）

文と理、人文学と自然科学という「二つの文化」の断絶が指摘されてから久しい。とはいえ、近年のＡＩ（人工知能）ブームではコンピューターが社会的決定を下すというのだから、情報工学が倫理学をはじめ法学、経済学、政治学など文系の諸学問分野にどしどし入り込んでくることになる。それでＡＩの専門家も人文社会科学を勉強せざるをえないのだが、これは簡単なことではない。文系でも個別学問はそれぞれ概念も方法論もちがうからだ。

文系の諸学を統一的にながめる観点はないのかな、と探してみると「世界システム」に行きあたる。この分野は歴史学や社会学を基盤に一九七〇年代から始まったそうで、『入門・世界システム分析』の著者はその大御所である。

はたして世界システムとは何ものか？——それは一つの世界を構成するようなシステムのことで、われわれが住んでいる近代世界システムとは、具体的には「資本主義的な世界＝経済」なのである。その特徴は、国境をこえて大規模な分業的生産が行われること。平たくいえばおよそ、今のグローバル経済圏のイメージだろう。

第二次世界大戦後から続いてきた米国中心の自由貿易にもとづく近代世界システムは、種々の理由で衰えを見せているのだが、ここで注目すべきは、近代世界システムを支えている理念である。この点を論じている『ヨーロッパ的普遍主義』は実に明快な本で、感心するほかはない。ヨーロッパといっても米国も含め、西洋の普遍主義が、いったい歴史上いかなる影響を諸国に与えてきたかに関する、鋭い批判の書物である。

文化も政治も異なる諸国にまたがる世界システムを維持するためには、そこに万人が賛同する正しい普遍的理念がなくてはならない。たとえば自由市場とか民主主義などだ。だがそれは、説得力を持つ一方で、ごく一部の人々に富を集中させ、搾取や不平等をもたらす暴力装置として機能することもある。歴史を振り返ると、アメリカ大陸の征服は「野蛮人の教化」のためだったし、東洋諸国の植民地化は「封建制からの近代化」のためだとされたのだ。

そして現在の普遍的理念とは「科学」に他ならない。

「一九四五年以降、科学的普遍主義は、疑問の余地なく、ヨーロッパ的普遍主義の最強の形態となり、対抗する立場はまったくないも同然となった」と著者は力説する。

たしかに、実証的客観性と数学的厳密性を持つ科学の権威に正面から逆らえる現代人はいない。だが周知のように、今の科学技術研究は大金を要する。ゆえに研究者はもうかるテーマに群がり、大金を動かせる権力と結びつきやすい。そして、批判的な人文学の議論など、もはや「科学的でない」から無視するわけだ。

ここで私は、どうしても今のＡＩ万能論を想い出さずにはいられない。大量のデータを客観的に分析するＡＩは人間より正しい判断ができる、だから人間はその決定にしたがうべきだ、という主張を最近よく耳にする。これはまさに、科学的普遍主義の最新バージョンではないのだろうか。こういうＡＩ万能論は、著者が指摘するように、新たな格差と不平等をうむ暴力性をはらむのだ。

本書が書かれたのは二〇〇六年で、ＡＩの話は直接出てこない。だが、科学的普遍主義にひそむ罠《わな》について、われわれはもっと敏感になるべきではないのか。著者は普遍主義そのものではなく、その乱用を批判し、真の普遍主義のあるべき姿を模索する。その知的誠実さを見習いたい。

滅亡へ突進する人間の愚かさ

『山椒魚戦争』（カレル・チャペック著、栗栖継訳、岩波文庫）

オオサンショウウオという生き物を、残念ながら私は間近で見たことがない。これは体長一メートルにもなる大型の両生類とのこと。黒く丸い頭と短い手足、イボだらけのずんぐりした体で水辺をヨチヨチはい回る。普通は淡水にすむのだが、これが偶然海に移動し、餌の多い好環境で繁殖したらどうなるか？　高い知性を持ち言語を習得したら？……『山椒魚戦争《さんしょううおせんそう》』は、そんな仮定のもとに書かれたお話である。

著者カレル・チャペックは戯曲『ロボット　R.U.R.』を書いたことで知られるチェコの作家である。ただし、おなじ諷刺《ふうし》作品でも、本書は相手が人工機械でなく動物なので、よけい身につまされる。人間が知性を持ったのも、必然でなく進化の偶然なのだし。

スマトラ近くの海に群生する山椒魚が、真珠目当てのオランダ船の船長に発見され、真珠とナイフを交換したことから物語は始まる。この船長はまあ好人物なのだが、幼なじみの企業家と契約したことから、山椒魚と人間との関係は一挙に拡大していく。凄腕の企業家の手にかかれば、どれほど繊細な生命圏もグローバルビジネスの修羅場と化すのだ。こうして山椒魚たちは海岸工事の有能な労働力と見なされ、文明進歩の一翼を担うことになった。

それにしても文明化とはいったい何だろう。テクノロジーの進歩なら良いことのようだが、実際はそればかりではない。資本家にとっての労働力、それは山椒魚にとっては虐待と奴隷化でもある。

かつてアフリカで黒人たちを狩り立てたように、海賊めいた奴隷商人たちはおとなしい無害な山椒魚を容赦なくオールで殴りつけ、気絶させて狭い船に押し込める。港で売り飛ばすまでに、彼らの多くは衰弱して死んでしまう。

だが勤勉な海の労働力のおかげで海洋資源が活用できるようになり、生産効率が上がるとすれば、それは偉大な文明進歩にも見える。だからリベラル派は山椒魚の生活と福祉を向上させ、教育を施そうとし始める。勉強して賢くなった山椒魚はマスコミの称賛を集めるのだ。

一方、科学者たちは、そんな山椒魚の知力や体力の実証的研究にとりくむ。脳神経の一部を切り取って反応を調べてみたり、乾燥した状態にどれだけ耐えられるかを測ったり、いろいろ実験を行う。むろん、科学と文明を発展させるために。

だが、こんな蛮行が長く続くはずはない。やがて山椒魚たちは結束して人間へ反旗をひるがえす。山椒魚戦争の幕が切って落とされるのだ。

結末はともかく、著者のテーマが何だったかは明らかだろう。山椒魚を侵略されたアジア／アフリカの人々に重ねる反植民地主義的解釈もできそうだが、真のテーマは、滅亡にむかって突進する人間の愚かしさという、より普遍的なものである。

この小説が出版されたのは一九三六年、第二次世界大戦が始まる三年前のことだ。三九年三月、ナチス・ドイツはチェコに侵入し、全土を占領した。前年の十二月にチャペックが肺炎で死んでしまい、この悲劇を見なかったことは、作家にとって幸運だったかもしれない。もし生きていたらゲシュタポに逮捕されていただろうからだ。

それにしても、本書出版から八十年あまりの歳月とはいったい何だったのか。人間の文明が進歩したと誇らしく言えるのは、視野の狭いテクノロジー礼賛者だけだ。

この本は途方もなく面白い。にもかかわらず読後に悲しくなるのは、人間の本性が一向に進歩しないから。

人間を機械として使う不安

『ロボット　R.U.R.』(カレル・チャペック著、千野栄一訳、岩波文庫)
『人間機械論』(ノーバート・ウィーナー著、鎮目恭夫・池原止戈夫訳、みすず書房)

しばらく前、政府の有識者会議で、未来を拓くムーンショット型研究目標として「人間のサイボーグ化技術」があげられたという。あわせて「ノーベル賞をとれるＡＩ(人工知能)」もあげられたそうで、たぶん強くて賢い人間機械を創り出そうという計画なのだろう。

正直いって不安になった。

ギャグではなくこういった目標に巨額の税金を投入せよと無邪気に語る「有識者」の方々は、想像力が欠けているのではないだろうか。

冷静に考えると、いくつかの論点が浮かび上がる。

まず、現行ＡＩはデジタル論理機械であるコンピューターがベースだから、サイボーグとは異質だ。ノーベル賞をとるには意志や欲望が不可欠だが、ＡＩがそれらを持つ可能性は限りなく小さい。意志や欲望は、生物の体つまり細胞の活動と不可分だからだ。

だが生物の体と電子機器が微細に混交し合体したサイボーグなら、実現はあり得る。そして今、バイオ工学や情報科学の第一線は徐々にこの方向に進みつつあるのだ。

そこで戯曲『ロボット　R.U.R.』を手にとりたくなる。ロボットという言葉は著者チャペックの創作だが、登場するのは金属やプラスチックの機械人形ではない。生命素材にもとづいており、外見は人間そっくりなので、まさにサイボーグである。つまり、この戯曲のタイトルは『サイボーグ』の方が適切なのだ。人間の労働者の代替品として造られたサイボーグが、やがて高い知性と身体能力を獲得し、人間を全滅すべく決起する――悲劇のストーリーを、今さら繰り返すまでもない。軽々しく「人間のサイボーグ化」を叫ぶ前に、まずはこの名作を味読することが肝心。

ところでサイボーグという言葉は「サイバネティクス」に由来する。これは天才数学者ノーバート・ウィーナーが、一九四八年つまり『ロボット　R.U.R.』が書かれた二十八年後に提唱した学問のこと。当初は生物の神経系と電子回路の連携がめざされた。『人間機械論』はウィーナーが最初に書いた啓蒙書である。

邦訳のタイトルからは、人間の体を全面的に機械部品と同一視する本だという気がするだろう。実際、内容的にもそういう印象をあたえる部分は少なくない。とはいえ、よく読むと、ウィーナーがめざしたのは実は「人間のモノ化」とは正反対だったということが明確に分かってくる。

邦題とちがって原題は「人間の人間的な利用（The Human Use of Human Beings）」である。権力者はとかく人間を「高級な神経系を持つ有機体の行動器官」のレベルにまでおとしめ、厳格に組織化しようとする。そういう「人間の非人間的な利用」に抗議するために自分はこの本を書いた、とウィーナーは明言している。その願望はあくまで人間主体の自由の尊重にあった。「主体を持つ賢い機械」という神話をかかげ、一般民衆を巧みに操作し支配しようとする企てに抵抗しようとしたのだ。

創始者の願望をふまえて、その後サイバネティクスは発展し、いくつかの分野が開拓された。生物を、機械と違って自分を創りあげる存在として定義したオートポイエーシス理論、そして、私の研究する基礎情報学も、それらの一環に他ならない。そこでは、人間の安易な機械部品化は徹底的に否定される。

ＡＩロボットやサイボーグの研究開発の実用的意義は大きいだろう。だが、それがいったい何をめざすのか、よく考えなくてはいけない。

人間のサイボーグ化が「人間の機械化」でなく「機械による人間の救済」であれば、私の不安もやわらぐのだが。

科学と利益追求、強まる癒着

『二十世紀を騒がせた本』（紀田順一郎著、新潮選書）
『沈黙の春』（レイチェル・カーソン著、青樹簗一訳、新潮文庫）

令和になって平成の世を振り返る声が高いが、団塊世代の私にはむしろ、二十世紀がもう「歴史」になってしまったという印象が強い。いったん二十世紀を総括しないかぎり、二十一世紀がどこへ向かうのか、誰にも分からなくなりそうだ。『二十世紀を騒がせた本』は、総括のための第一級の道案内である。

博識で知られる著者があげるのは次の十冊。――フロイト『夢判断』、ヒトラー『わが闘争』、ロレンス『チャタレイ夫人の恋人』、ミッチェル『風と共に去りぬ』、ルィセンコ『農業生物学』、ボーヴォワール『第二の性』、カーソン『沈黙の春』、ソルジェニーツィン『イワン・デニーソヴィチの一日』、毛沢東『毛沢東語録』、ラシュディ『悪魔の詩』。

最後の『悪魔の詩』は、邦訳者が殺されたことで騒動になったが、私は読んでいないし、それほど影響力のある書物かどうかは分からない。その他の書物が世界を動かしたことは事実だろう。今さら読みたくもない『わが闘争』や『毛沢東語録』は、もう過去の遺物という気もするが、最近、世界のあちこちで独裁者待望の不気味な雰囲気が感じられるので、改めて手にとるべきなのかもしれない。困ったなあ……。

粗っぽくいえば、二十世紀とは、封建的身分制度にしばられた階級社会から人々が解放されていった時代だった。この平等思想が逆にねじれて、『わが闘争』だの『毛沢東語録』だの、独裁者の叫びが轟《とどろ》いたが、一方、ソ連独裁体制の残酷さを描いた『イワン・デニーソヴィチの一日』といった傑作も生まれた。

解放と平等化は、人間性の深部にメスが入ったことでもある。こうして、『夢判断』『チャタレイ夫人の恋人』『第二の性』が書かれたのだ。

二十世紀のキーワードはいったい何だったのか。「進歩」だろうか。少なくとも科学技術については、そう考える人も多いはずだ。

だが、『農業生物学』と『沈黙の春』は、必ずしもそうでないことを明確につげる。スターリンの庇護《ひご》のもとで途方もない学説を押し付けたルィセンコのエセ科学については、「独裁体制時代のことだ」と見逃せるかもしれない。しかし『沈黙の春』で指弾された地球環境汚染問題は一向に解決していない。いや、ますます酷《ひど》くなるばかりだと誰もが認めるだろう。科学技術研究の腐敗やゆがみは、独裁体制だけでなく、自由主義体制の市場競争のもとでも生じるのである。数年前にこの国の一流研究所で起きたＳＴＡＰ細胞事件を思い出すだけで、もう十分。

科学技術の研究開発が多額の資金を要し、巨大組織の利害と直結するようになったのは、第二次世界大戦の頃だった。そして今や、研究開発と短期的利益追求の癒着はかつてないほど強まっている。

『沈黙の春』は化学物質による汚染を告発したが、これはまだ分かりやすい。物質技術ではなく、情報技術の分野でも、同様の懸念があるのではないだろうか。

『風と共に去りぬ』は、小説という芸術が、ベストセラーねらいの出版産業や映画産業と結びついた好例だった。そして二十一世紀の今日、インターネットにもとづくデジタル情報産業が、物質経済を含めあらゆる人間活動を呑み込もうとしている……。

十作品を語る前の序章で、著者はオーウェルの反ユートピア小説『一九八四年』についてふれ、世界を動かす本は「私たちの生きる世紀がいかに苦悩に満ちているかを認識させるものとなった」とのべている。この言葉の何と重いことか。

自由意志、「外部」感じ可能に

『天然知能』（郡司ペギオ幸夫著、講談社選書メチエ）

「心（意識）を持つ機械は作れるか」というのは、人工知能やロボットの研究者にとって永遠の難問である。本物の心なんて作れなくたって、持ってるように見えりゃいいじゃないかという開き直った声もあるが、そういう知的怠惰は褒められたものではない。

『天然知能』の著者は、長年にわたってこの難問と正面から取り組んできた人物である。専門は理論生物学だが、哲学や人工知能にも通じた科学的思索者と言ってよい。以前の著作は学術的すぎて難解なものが多かったが、本書は一般向けの書きおろしで、分かりやすく自説を語りたいという意欲にあふれている。

常識的には、機械が意識や自由意志など持てそうもない、という気がする。意識や自由意志とは、人間が生きるためのもの。それらは、生存という目的を持つ生物の進化過程で出現したのではなかったか。実際、現在の人工知能に意識が宿っていないのは明らかである。われわれと日常会話をかわすロボットにしても、ただ記号を形式的に操作しているだけで、自発的に話しているわけではないのだ。

だからといって、機械が絶対に自由意志を持てず生物だけが持てる、と断定するのは難しい。そもそも人間はなぜ自由意志を持てるのか。われわれの思考活動が脳神経の生化学反応にもとづいているとすれば、それを実現する機械を作る可能性は論理的に排除できない。実際、そう信じて努力している人工知能研究者は多いのだ。

だがもし、宇宙が機械的に作動しており、万事が何らかの明確なルールにもとづいて決定されているなら、自由意志など幻想ということになる。つまり、人工知能的な思考を延長拡大した決定論のもとでは、自由意志は否定され、責任概念も消滅してしまう。

本書の著者は、緻密な論理を積み重ね、このような議論に異議を申し立てる。タイトルの『天然知能』とは、人工知能――収集データと客観知識を併せたデータ処理的な知能――に対立する概念に他ならない。人間の思考は天然知能であり、われわれは人工知能と違って、自らの思考領域の「外部」を感じつつ生きている。はっきり自覚できる明示的な意識の外部の、ぼんやりした無意識や身体感覚と常にもつれ合い、相互作用している。このことが、決定論のもとでも自由意志の成立を可能にするのだ。著者は「人工知能の発達によって、定量化し評価し比較する能力主義が全面化する今だからこそ、天然知能は意味を持つのです」と述べている。

一般書とはいえ、本書の内容は決して易しくはない。だが、頑張って最終章まで読み進めれば、得るところは大きいだろう。

実は私も、本書と関連したテーマをずっと考えてきた。構築中の基礎情報学は、道筋は異なってもめざす所は遠くない。ただ、著者が意識や自由意志などの原理を理論的に真っすぐ探究しているのに対し、私の場合はむしろ、現在の人工知能やロボットが人間社会にあたえる正負の影響の実践的な分析と対処に重きを置いている。この相違は、理論生物学と情報工学というそれぞれの出自がもたらしたものかもしれない。

本書の主張はなかなか大胆である。探究はまた新たな問いをはらみ、探究行為はどこまでも続いていく。人工知能研究者のなかには反論したくなる者もいるだろう。

だが私にとっては、本書の主張に納得できる点が少なくなかった。そして読後になぜか、体内を涼風が吹き抜けていったような爽快感を味わったのである。

科学への信頼、根幹に目を

『科学哲学講義』（森田邦久著、ちくま新書）
『科学の限界』（池内了著、ちくま新書）

日本人にとって科学は信仰だね――そう言うと、まるで科学を否定しているように受けとられそうだ。だがそれは違う。世知辛い大都会で長年暮らしてきたので疑い深くなったものの、私は、科学こそもっとも信頼できる知識体系だと思っている。

けれど、いったいなぜ科学は信頼できるのか、その根拠について考えてみたいのだ。さもないと、疑似科学の乱痴気騒《らんちきさわ》ぎに巻きこまれ、簡単に騙《だま》されてしまう予感がある。実際、「科学的にそうなる」と自信たっぷりに叫ぶ声には、かなり怪しげなものが多い。そういえば、あの「STAP細胞の発見者」はいったいどこへ消えたのか。

『科学哲学講義』の著者は科学哲学の専門家で、科学という知識体系にひそむ諸問題を分かりやすく説いていく。政治家も財界人もこの本をきっちり読めば、科学の研究や教育について、もうちょっと的確なコメントを加えるようになるのでは……。

われわれは先端科学の夢のあるオハナシに惹かれるが、根本的なことを考える習慣があまりない。たとえば、相関関係と、因果関係と、必要／十分条件とは、いったいどう違うのか。大量データの相関関係を計算するのは、ＡＩ（人工知能）の得意技だ。でも相関関係のみを頼りに、株価変動だの災害リスクだの、複雑な現象の原因を科学的に分かったと信じこみ、予測に直結してよいのだろうか。

著者は最後に「科学的知識が正しいと証明することはできません」と結論づける。とはいえ、科学的知識が信頼される理由は、その中の法則群が科学的方法論にもとづく実験により確証されていること、そしてそれらの法則群が互いに網目のように論理的に結びついていることだと述べる。まさにその通り。

現代の科学研究、そしてこれを応用した技術開発は、はたしてこういうアタリマエの精査に耐えるものだろうか。『科学の限界』を一読すると、私はとめどなく不安をかき立てられるのである。

こちらの著者は宇宙物理学が専門だが、以前から啓蒙的活動を盛んに行っている。科学者たちに向ける著者の批判はきわめて鋭い。

いわく、「科学者の眼差《まなざ》しは科学予算を左右できる国家の方ばかりを向き、納税者たる市民の顔を忘れてしまっている」「科学は、それが本来持つ不定性や不確実性から逃れることはできない。科学は完全ではないのである。それにもかかわらず、科学者は自らをすべて知っている人間であるかのように振る舞おうとする」「科学のマイナス面を一切述べず（あるいは過小評価し）、プラス面ばかりを過大に吹聴する」などなど。

しかし、責められるべきは科学者たちだけではない。彼らが経済的利得を強調し自信ありげに振る舞うのは、そうしないと、無知な権力者によって研究予算をストップされてしまうからだ。

今や科学は技術を介して、われわれ一般市民の生活を極度に左右している。原子物理学にせよ分子生物学にせよ、その影響力はすさまじい。だからこそ、科学者だけでなく一般市民が、科学という行為の根幹に目を向けなくてはならない。われわれにその自覚が乏しいのは、科学後進国の民の証拠ではないのか。

この国が科学技術先進国だと信じている人は少なくない。確かに二十世紀末、日本の科学技術力は海外からも尊敬されていた。だが当時、研究開発の現場にいた体験から言えば、これは過大評価だったという気もする。

科学をうんだ思想的基盤には目もくれず、ひたすら模倣と改善にいそしむだけでは、革新的成果など望めないのだ。

ところで私は『科学の限界』の著者と新聞紙上で対談したことがある。あれから随分年月がたってしまった。「あとがき」によると、本書執筆中に著者は、脳梗塞を発病したとのこと。幸い今は回復されたと思うが、こういう気骨のある科学者には、いつまでも活躍していただきたいものだ。

文理融合、若手が問う自律性

『AI時代の「自律性」　未来の礎となる概念を再構築する』（河島茂生編著、勁草書房）

ＩＴ（情報技術）時代という言葉は以前からある。ではこれと、ＡＩ（人工知能）時代はどう違うのだろうか。

簡単にいえば、ＩＴを使う主体が人間だけでなく、ＡＩ搭載のロボットも参加し始めたのがＡＩ時代だ、といったあたりになりそうだ。ロボットがデータを分析して投資判断をしたり、外国語を翻訳したり、さらには人間とおしゃべりしたりする時代が到来したというわけである。

だが、機械であるロボットが本当に自律的な主体になどなれるのだろうか。誰かが背後で巧妙に操作している可能性もゼロではない。問題がおきたとき、責任はどうなるのか。自律性とは人間の尊厳につながる概念だったはずだ。いずれにしても、理系のＡＩ専門家だけでなく、文系の専門家も加わってよく吟味する必要がある。

本書は、このテーマについて、各分野の若手研究者が徹底的に議論した結果をまとめた力作だ。学術書だが、一般向けの好著と同じくぐいぐい引き込まれる。――機械と人間の自律性はどう違うのか。なぜ人間はロボットを自律的だと見なすのか。ＡＩ社会に生きる人間の自由はどうなるのか、などなど。

日本ではこういった議論は珍しい。なぜなら、情報やＡＩについて根本から考えず、すぐ技術的工夫や経済効果ばかりに走る傾向があるからだ。例えば以前、第五世代コンピューターだの東大入試挑戦ロボットだのという国家プロジェクトがあったが、いずれも無残に失敗した。原因は、担当メンバーの能力不足ではなく、それらのプロジェクトを企画主導した発想そのものに、情報の定義や記号の意味に関する本質的洞察が決定的に欠けていたことなのだ。

この洞察は、情報に関する文理融合の知を鍛え上げることから生まれる。ただし、日本にそういう自覚が無かったわけではない。二十年前に発足した東京大学の大学院情報学環は、そのための斬新な組織だった。コンピューター工学やメディア論、さらに法学、哲学、経済学、政治学、アートなど、多分野の研究者を集めて華々しくスタートしたのである。実は私も設立メンバーに加わっていた。

とはいえ、文理融合の情報学の構築は容易な作業ではない。個々の研究者がいくら優秀でも、異分野の力を有機的に結集することは難しい。当初の熱気が冷めるとともに、周囲からは批判の声も聞こえてきたようだ。

だが本書は、大学院情報学環に関するこの懸念を吹き飛ばすものではないだろうか。なぜなら、編者をはじめ著者は全員、当大学院の卒業生とその研究グループの若い仲間たちだからだ。つまりこの本は、文理融合の学際的な研究教育が生んだ果実として、明確に位置づけることができるのである……。

長いあいだ日本の情報学は欧米の後塵《こうじん》を拝してきた。半世紀以上前に米国の学者が定義した情報概念を墨守し、ひたすらＩＴの細部の改良のみに努めてきたのである。それも大事ではあった。だがＡＩ時代の今、そろそろ目覚めなくてはならない。

人間と機械をめぐる根本的な難問はたくさんある。人間に似た可愛らしいロボットを作り、人間めいた声を出させて喜んでいるだけでよいのか。人間の仕事を安易にＡＩに丸投げして大丈夫なのか。囲碁や将棋でトッププロ棋士に勝ったからといって、万能ＡＩが出現したと思い込んではいけない。

五十年あまり日本のＩＴのありさまを眺めてきた私には、本書のページを繰るごとに感慨がわいてくる。ようやく頼もしい若手が育ってきたな、と。

未知の病原体、ＳＦと現代

『アンドロメダ病原体〔新装版〕』（マイクル・クライトン著、浅倉久志訳、ハヤカワ文庫）

コロナ禍で家に閉じこもっていたら、ＳＦの名作『アンドロメダ病原体』を読みたくなった。人類が月に着陸した一九六九年に書かれた作品だが、早くも現代を予見していたように思えてならない。

作者のクライトンは当時まだ米ハーバード大学医学部の学生だったが、この作品でたちまちベストセラー作家にのし上がった。コロナ禍を見ることなく、二〇〇八年に亡くなったのはまことに残念である。もし生きていたら、現状をどう語るだろうか。

さて、ストーリーはシンプルである。米軍の人工衛星がアリゾナ州の砂漠に墜落した。その直後、近くの小さな町の住民のほとんどが、あっと言う間に死んでしまった。

宇宙から未知の病原菌が侵入したのではないか。下手をすると人類が絶滅する恐れがある……という次第で、ネバダ州の秘密研究所に四人の超優秀な研究者が集められた。描かれるのは、緊急対策をねる必死の数日間の様子。まるで映画のような作品だ。

当時は米ソ冷戦のさなかである。墜落した人工衛星は、大気圏外生物の調査をしており、つまり生物兵器開発という物騒な使命をおびていたのだ。実際、宇宙にはどんな恐ろしい微生物が潜んでいるか分からない。研究者たちが招集されたネバダ州の砂漠にある施設は、このための極秘研究所なのである。未知の病原体が絶対に流出しないよう、そこは緊急時の核自爆装置もふくめ二重三重に防護されている。そのあたりの細部描写、クライトンの科学的知識の豊富さはすごい。それだけでなく、「人間の脳はそのかぎりない知能によって、自分たちを破壊する方法を発見するかもしれない」といった鋭い記述にハッとさせられる。

以後のストーリー展開はお楽しみということにしよう。ただ私は、ここでどうしても、新型コロナウイルスと宇宙から襲来したアンドロメダ病原体とを比べてみたくなる。

両者は対照的だ。コロナはおもに飛沫感染、毒はあるが感染しても無症状のことも多い。一方、アンドロメダは空気感染、致死性で瞬間的に周囲一帯を死体だらけにする。

生物兵器としてはどちらが優れているか？――断然、新型コロナウイルスである。いくら有効な兵器でも、敵と共に味方の命を奪っては元も子もない。コロナに感染しても若者はまず大丈夫で、死ぬのは持病持ちの高齢者がほとんど。ジワジワと社会的不安を広げ、対人接触を妨害して経済活動を低下させる。何と理想的な兵器ではないか。

いや、だからといって今の新型コロナウイルスが生物兵器だ、などと言うつもりはない。でも、対策が立てにくい疫病であるのは確かだ。

それにしても、感染者数ばかりに注目する今の接触削減策は、時間稼ぎでしかないという気がする。グローバル交流をしていれば、いずれ必ずウイルスは入ってくる。だから治療薬やワクチンの開発を急ぐとともに、一刻も早く病床施設の拡大強化につとめるべきではないのか。

ただ、日本も含めアジア諸国の犠牲者の数は、欧米諸国に比べ圧倒的に少ない。この原因さえ医学的・遺伝学的に解明されれば、有効な対策を打てるはずだ。重症化する因子を持つ人々だけを特定し、行動を自粛してもらえばよいのである。重症化因子を持たない人々は、あまり神経質にならずに暮らす方が免疫力も上がるのでは……。

原因解明は非常に難しいのだろうか。ウイルス自体も変異するし、一筋縄ではいかないだろうが、解明されればそれこそノーベル賞級の大発見だと思うのだが。

「新たな従属」に抗する道標

『ホモ・デジタリスの時代　AIと戦うための（革命の）哲学』（ダニエル・コーエン著、林昌宏訳、白水社）

もし、五十年前に冬眠した若者がいま目覚めたら、浦島太郎よりもっと驚くに違いない。とくにご本人が昔、学生だったとすれば。

一九六八年、世界各地で学生たちが一斉に蜂起した。パリで、ベルリンで、サンフランシスコで、そして東京で。彼らは連帯し、工業社会で抑圧されている人々を解放して自由を得ようと叫んだ。

ところが半世紀後の世界はどうなったのか。人々は分断され、勝ち組は金もうけに狂奔し、負け組はヘイトスピーチで憂さをはらす。勢いづくポピュリズムはあらゆる左派リベラリズムを攻撃する。

そんな社会変化が一体なぜ、いかにして起きたのか――半世紀前に学生だった私は考えこむ。『ホモ・デジタリスの時代』の著者はフランスの経済学者・思想家だが、一九五三年生まれなので、パリ蜂起に参加するには若すぎただろう。それゆえか、醒《さ》めた目で変化の状況を分析していく。

最大のポイントは、デジタル技術の革新である。著者は、われわれ人類が暗中模索のあげく、工業社会を脱して「デジタル社会」に向かっていると見なすのだ。

スマホやパソコン、インターネットに代表されるICT（情報通信技術）には二面性がある。まずそれは、半世紀前の学生たちのスローガンに通じる要素を持つ。当時、米国は高価な大型コンピューターを駆使してベトナム戦争を行っていた。これに対抗し、一般民衆のための安価な知的ツールとして発明されたのがパソコンである。そこには、反戦、連帯、自由、平等といった理想があったのだ。今でもこの理想がすべて消え去ったわけではない。この間、検察官の定年延長法案が抗議ツイートの嵐で見送りに追い込まれたのは好例だろう。

とはいえ近年は、経済成長の担い手という、ICTの持つもう一つの面が圧倒的に優勢である。これは強調するまでもない。その結果、何が起きているのか。

著者は、われわれ現代人が新たな精神革命に巻き込まれたと言う。そこでは人間は、「自身がつくり出した機械に己の魂を貸し与えようとする」のだ。インターネットの中に居場所を見つけ、誰かに認められようとする努力は、著者によれば、自由になるというより「新たな従属状態の兆し」ということになる。

実際、インターネットに費やす時間の長さは、悲しさ、孤独感、不満と正比例する、という調査結果さえもあるとのこと。

かくして著者は「科学技術、そしてこれを利用する権力ネットワークが、生身の人間の存在を無視して物事を決定するようなことがあってはならない」との主張にいたる。これは明らかにＡＩ（人工知能）の誤用乱用への警告に他ならない。そして新たな人文主義の必要を説くのだ。

私はこの主張に心から賛同する。だが肝心なのは、いかにして問題を解決するか、なのだ。未来学者によるデジタル技術の過剰宣伝が効きすぎたせいか、著者の議論には具体的な対策が欠けている。

一口にＡＩと言っても、中身は多様である。自動運転、機械翻訳、顧客プロファイリングなどは、部分的な共通技術を除き、それぞれ技術的特徴が異なり、有効性や限界も違う。万能の汎用ＡＩシステムなど存在しないのだ。

だから、人間がアルゴリズム（計算手順）と見なされるとか、データとして扱われるとか、大上段で批判するだけでは足りない。思想的な論点をきっちり踏まえながら、より具体的にデジタル社会の建設方法を探っていかなくてはならない。その過程で、本書はよい道標になってくれるだろう。

持続可能な日本、地方分散で

『人口減少社会のデザイン』（広井良典著、東洋経済新報社）

ＡＩ（人工知能）というと、とかく経済成長、規模拡大、発展加速といったキーワードと結びつけられがちだ。だが、これは早計というもの。大量データを以前よりずっと高度なやり方で処理できるとはいえ、ＡＩ自体はべつにそんな社会的理念や判断基準を持っているわけではない。まあ当然のことだが。

『人口減少社会のデザイン』は、ＡＩを活用した社会構想と政策提言の書物である。そこではむしろ、成長や拡大という聞き飽きた路線とは逆に、持続可能な福祉社会という新しいモデルが提示される。具体的には、京都大学と日立の共同研究チームがおこなった約二万通りの将来シミュレーションが議論の基礎になっているそうだ。著者は科学哲学をベースに公共政策を語る論客であり、時おり私も研究会などでお会いし、言葉を交わすこともある。

議論は、いったい二〇五〇年に日本は持続可能なのか、という問いかけから始まる。実際、政府債務は国際的にも突出し、人口はますます減り、格差社会で人々は孤立する一方なのだから、危機意識を持たない方がおかしい。

ＡＩによる膨大なシナリオ予測から、東京一極集中か地方分散か、という選択肢が、もっとも本質的な対立軸として浮かんでくる。その結果、高度成長期以来この国が突っ走ってきた「東京一極集中型」ではなく、「地方分散型」へと大きく舵を切ることが持続可能な社会のために望ましい、という主張がなされるに至るのである。

読んでいて印象深いのは、著者はアメリカ（米国）よりもヨーロッパ、とくにドイツや北欧などの社会に学ぼうとしているという点だ。これはなかなか説得力がある。明治維新後、ヨーロッパに学ぶことも多かった日本だが、太平洋戦争を境に圧倒的にアメリカの影響力が強まった。しかしアメリカと日本とでは、国土や資源の規模、歴史や伝統、社会的慣習など、あまりに違いすぎる。たとえば、アメリカほど広ければ自動車中心の街づくりでよいだろう。だが日本で同じことをしたために、街のありさまは人々が歩いて集まれるコミュニティー空間ではなくなってしまった。この点は、高齢者がゆっくり買い物を楽しめるヨーロッパの地方都市中心部との大きな相違である。経済成長の陰で、人の住む街の感触が消えていく。

アメリカが悪いというわけではない。問題は、欧米の文明を中途半端に真似するだけのわれわれにある。アメリカは小さな政府（低福祉・低負担）のもとで拡大成長を求め、ヨーロッパは大きな政府（高福祉・高負担）のもとで環境保全を重視する。日本はといえば、選択の議論もろくにせず問題を先送りし、将来世代にツケをまわすだけではないのかと、著者の指摘はたいへん鋭い。

議論は、ただの政策論にとどまらず、宗教的な背景にまで及ぶ。仏教やキリスト教、さらにいっそう太古からの自然崇拝までも視野に入ってきて考えさせられる。私は著者に共感する点が多いのだが、さて果たして、短期的な利害にとらわれた政治家・官僚・経営者たちはどう動くのか。説得は容易でないだろう。

ただ、本書はコロナ禍襲来以前に書かれたもの。コロナ禍が転機になる可能性はある。テレワークが定着し、教育や医療にもリモートサービスが導入されていけば、状況が一挙に変わり、東京一極集中から地方分散へという流れが生まれるかもしれない。

ここに書かれたユートピアが、「山のあなたの空遠く」（カール・ブッセ）だけにあるものなのか、心を鎮めて考えてみたいものだ。

3 — 共生の道を探る

中世ユダヤ人の冒険物語

『昼も夜も彷徨え　マイモニデス物語』（中村小夜著、中公文庫）

　マイモニデス物語という文字を一目みて、頭がくらくらした。なつかしい。『昼も夜も彷徨《さまよ》え』というタイトルは、このユダヤ大哲学者が発した名言である。

　二十五年ほど昔になるが、私はマイモニデスの作品をふくめ、古今のユダヤ思想と人工知能との関連を夢中で調べていた。そして「ユダヤ文化と次世代コンピュータ」という長い論文を書いた（のちに「カバラと現代普遍言語機械」と改題し拙著『ペシミスティック・サイボーグ』、青土社、一九九四年、に所収）。

　当時、日本オリジナルの人工知能として評判だった第五世代コンピューターが、ユダヤ一神教の普遍論理と本質的につながっている、という主張である。ずいぶん力こぶをいれたつもりだったが、世間からの反響はゼロ。元「中央公論」編集長の粕谷一希さんからたいそう褒めていただいたのがせめてもの慰めか……。

だが本気で技術文明を考え、地上のありさまを変えようというなら、哲学までさかのぼるべきではないのか。猿真似から大したものは生まれない。

われわれは近代技術を欧米から輸入したが、中世には高度な文明はむしろイスラム圏にあった。十二世紀の地中海世界に生きたマイモニデスはアラビア哲学を学び、ギリシャ哲学とユダヤ神学を統合した。それがトマス・アクィナスのスコラ哲学に受け継がれて西洋の知を形成したのである。コンピューター、とくに人工知能技術はその嫡子なのだ。

それにしても、いちばん問題なのは、われわれがユダヤ的思考からあまりに遠いことである。日本人とユダヤ人の違いについては昔から山本七平がいろいろ指摘していたが、理解が進んだという気はしない。離散の情を知らぬ島国育ちはグローバリゼーションをどう迎えるのか？

そこで、だ。この小説を読むと目からウロコが落ちるのは私だけではないはず。

難しい普遍論理の話を説くのではない。中世ユダヤ人たちの、血沸き肉躍る涙と汗の冒険物語を通して、なぜ彼らが天上の透明な論理を希求したのか、切ない心情が徐々に感じられてくる。

スペイン・コルドバの高名なラビ（ユダヤ教指導者）の家にうまれたマイモニデスは、強大なイスラム教勢力や十字軍勢力によるユダヤ人迫害のなかで、北アフリカのマグレブ地方、中東、さらにエジプトへとさまよう。上流階級のラビとして巧みに立ち回ったりはしない。苦しむ庶民と共に生き、神への信仰によって救われるにはどうすればよいかを必死で考え抜く。理性を重んじるその聖典解釈は伝統的戒律主義のユダヤ学者を怒らせたが、熱情はやがてキリスト教神学にまで浸透していくのである。

魅力的なのは主人公だけではない。知に身をささげる兄をささえる弟、愛の人ダビデ。そしてもう一人、過酷すぎる運命に翻弄《ほんろう》されながらも、決して魂の高貴さを失わず、ひそかに主人公を慕う美しい娘ライラ。その青い瞳の深いきらめき……。

著者は長くイスラム諸国で暮らしてきた方だとのこと。いわゆる職業的作家ではなさそうだが、生活体験が生きているし、文章構成もなかなかのものだ。イスラム世界からユダヤ文化を眺めた作品として、独自の意義を持つのではないだろうか。

そうなのだ。真にものを考え、語るためには、自分の小さな城にちんまり安住してはいけないのである。

「すべてを手放して、己の信じるものを守れる場所を見つけるまで、昼も夜も彷徨え……」

マイモニデスのこの言葉をもう一度、つぶやいてみる。

大国に踏みにじられた悲劇

『また、桜の国で』（須賀しのぶ著、祥伝社）

恥ずかしながら、ポーランドという国のことはよく知らなかった。せいぜい、ショパンやキュリー夫人の故国だったというくらい。

ただ、アンジェイ・ワイダ監督の映画に幾度も心を打たれた記憶がある。『地下水道』『灰とダイヤモンド』『聖週間』『カティンの森』など。なかでも幼いころ父母と一緒に観た『地下水道』は、そのあまりの暗さのため一時は閉所恐怖症になるほどだった。四本の映画は、心に刺さった恐怖の針として残っている。

『また、桜の国で』を読んで、四本の針からスッと糸がのび、一つの絵を形成した。第二次世界大戦で大国にじゅうりんされたポーランドの悲劇。その途方もない不条理……。

この小説と出会ったきっかけは、二〇一七年のNHKFM連続ラジオドラマ『青春アドベンチャー』である。キーマンの一人レイを演じた中川晃教さんから知らせがあった。実はその前年、私が書いた十五世紀スペインの歴史小説（『１４９２年のマリア』、講談社、二〇〇二年）が同じ番組で放送され、主人公を演じた中川さんからは、以来ときどきメールが届く。ラジオドラマは上出来だったし、中川さんはいつもながらうまい。それで原作を読みたくなったのである。

ヒロシマやアウシュビッツをはじめ、第二次大戦の悲惨は繰り返し語られてきた。だが、ナチス・ドイツに占領されたポーランドで何があったかは、ソ連が崩壊するまで隠されていた。その方がソ連にとって好都合だったからである。ポーランドの将校や知識人をカティンの森で虐殺したスターリンは、犯行をナチス・ドイツのせいにした。そして小説が描くワルシャワ蜂起でも、真実はもみ消された。

物語は、大戦前夜にポーランドに赴任した若き邦人外交官、慎《まこと》によって語られる。慎は、日独の国策に翻弄されながらも、友好国ポーランドのために一身をささげる。

ワルシャワはドイツ機甲師団によってたちまち占領された。市内のユダヤ人たちは隔離され、次々と収容所に送られていく。ドイツ軍の敗色が濃くなると、ソ連は耐えている市民に蜂起をよびかける。立ち上がった市民は下水道をはい回りながら必死の抵抗を試みるが、ドイツ軍に徹底的に鎮圧された。ソ連軍はまったく支援せず、ドイツ降伏後に悠々とワルシャワ入りし、蜂起した人々を処刑した。

つまり、ポーランドは大国の打算のため幾重にも裏切られ、辱められたのだ。歴史は強者の美談で飾られる。だが、消し去られた無念の命はどこへいったのか？

「戦争や政治なんてそんなものさ」とシニカルに言うのはよそう。むしろ自分の想像力の枯渇を直視すべきなのだ。かつて国電の小便臭いガード下では、白衣の傷痍《しょうい》軍人が物悲しい軍歌をアコーディオンで奏でていた。個人の生をいや応なく根こそぎにする戦禍の傷痕は、当時いたるところに残っていた。そんな時代には、真に大切なものを見抜くための想像力は僅かですむ。今は逆なのだ。

だからこそ、この小説はわれわれの衰えた想像力にエネルギーを注ぎこむ。著者はライトノベルから出発したそうだが、歴史的知識も豊かだし、達者な筆づかいだ。

さて、本作品は二〇一七年、「高校生直木賞」を受賞したとのこと。これはうれしい。最近の若者は、本好きといっても身近な生活を題材にした娯楽作品しか興味がないかと思っていたが、そうでもないのだな。

一筋の希望である。今の世情に「ウミを出せ」という声もあるが、もうわれわれはウミの海で溺れそうだ。ポーランドの悲劇からは、逆説的に希望の歌が響いてくる。

誇り高き鳥の悲しい運命

『ニワトリ　人類を変えた大いなる鳥』（アンドリュー・ロウラー著、熊井ひろ美訳、インターシフト）

日本人と英語で話すのは少しためらうが、英会話クラスでは仕方がない。米国に留学する前、ちょっとした出来事があった。討論テーマはフライドチキンである。カボチャ頭の日本人が味付けについてくどくどと話すので、いらついた私は思わず「鳥もライフだからね、そこを考えないと」と口を挟んだ。すると相手は「ノー、フード」と大声。そのとたん、私の血は逆流し、英語でののしりの言葉を投げつけた。相手はよく分からなかったのかポカンとして、場の空気は白けるばかり。

いったいなぜ、あんなに腹が立ったのか、当時は自分でも不明だった。四十数年後に『ニワトリ』を読んで、ふと謎がとけた気になった。

人間にとってこれほど身近なのに、これほど誤解され利用されている動物がいるだろうか。

著者は愛情を持って実相に迫っていく。

ニワトリはとても賢い生き物だ。簡単な計算をしたり、顔を識別したり、論理的推論さえもできる。研究者たちは、ニワトリが自制心を働かせ、他者に共感する場合があることを見いだした。その認識能力は、部分的には霊長類の能力と同等以上で、相互コミュニケーションもなかなか複雑。もしかするとニワトリには、原始的な自意識さえあるかもしれないという。

人間との付き合いは古い。原種は細身で警戒心の強いキジ科の赤色野鶏だが、飼い鳥としては古代エジプトにまでさかのぼる。当時は高貴な鳥として珍重されていたようだ。

何といっても役に立つ。肉、骨、臓物、羽、卵などすべてが、とりわけ薬として用いられた。だから昔、ニワトリは万病に効く「二本足の薬箱」と見なされたのである。

それだけではない。誇り高い勇猛心に目をつけられたニワトリもいた。鋼鉄製の蹴爪を装着され、死ぬまで戦う闘鶏ギャンブル。熱狂する人々は今でも少なくない。

とはいえ、現代日本人にとってニワトリとは、何といっても栄養価の高い鶏肉と卵を提供してくれるありがたい存在だ。それなのに、供給の現場でいったい何が起きているのか、われわれはあまりに無知なのではないか。

ニワトリが米国で産業ビジネスと結びついたのは、第一次～第二次世界大戦の頃だった。

裏庭で飼われていた親鳥とヒヨコは引き離され、人工孵化《ふか》とブロイラー産業が始まった。戦時には、安価で扱いやすい食料の増産が要請されたからである。

大戦が終わり二十世紀後半になると、産業用ニワトリの数は天井知らずになった。それまで農家で飼われていたニワトリはせいぜい二百羽ぐらいだったが、一挙に何万羽にも膨れ上がる。今やブロイラー用に肉体改造された鳥たちは完全管理のビルに詰め込まれ、加工飼料とビタミン剤、抗生物質、ワクチンを自動投与される。寿命十年以上のはずが、わずか六週間で太らされ食肉処理される。伝染病防止のため隔離された鳥たちの姿は、消費者から遠い。だが、その内面でいかなる怒りと狂気が渦巻いているのか……。

ニワトリの運命は増殖である。「それは絶滅よりも悪い運命です」と動物福祉論者は批判する。「ニワトリはとても愛情深い鳥なんですよ。陽気で人なつっこくて」と。

著者は、なんとかこの貴重な鳥に快適で健康な環境を取り戻すための方途を探るが、成否は分からない。

菜食主義者でない私は、いつも鶏肉をおいしく食べている。ブロイラー産業を批判する資格などない。ただニワトリがたどった悲しい運命は、人類の末路をどこか暗示してはいないだろうか。

鮮やかな色合い、巧みな構成

『青いバラ』（仲のりこ著、日本文学館）

コンピューターと格闘する現場を離れて歳月がたった。今は関連する論文や書籍を読んだり、論評したりする毎日である。興味は技術だけでなく、哲学や文学、歴史、社会へと広がっていく。へえ、じゃあ好きな書物に親しむ自由な日々だねと言われそうだが、実際はそうでもない。

仕事の都合で、面倒な分厚い本を急いで読まなくてはならないのは日常のこと。我慢して不愉快な議論と付き合っていると、だんだん神経がささくれてくる。

それほどでなくても、本の選択にあまり自由はない。専門書や啓蒙書、尊敬する知人から贈られた新刊など、読むには読む理由があるのだ。

そんななかで、何の必然性もなく、たまたま出合っただけなのに、一服の清涼剤のように心に残る本もある。偶然の幸せの訪れだ。『青いバラ』はそんな書物である。

著者は児童文学の作家なのだろうか。七つの短編が並んでいて、どれもすらすら読める。冒頭の作品は童話仕立てで、青空の色をしたバラが語られ、定番のすてきな王子様もちゃんと出てくる。

となると可愛いメルヘン集かと思うだろう。だが、中身はもっと深いのだ。次の作品は、太平洋戦争の暗い記憶をかかえた老人に、戦死したはずの親友からメッセージが届くという痛切な大人のお話。王子様と老人の像が重なり、そこに、殺し合いのむなしさを嘆く声がしずかに響いてくる。なかなか巧みな構成なのである。

まあ、あまり説明しすぎるとつまらないのでこのくらいにしておこうか。でも、私が一番好きな作品だけ紹介させてほしい。それは、「夕日の人」という、まるで日本昔話に出てきそうなお話だ。

登場人物は、孤独な若者と、その母親くらいの年配の、これも孤独な女である。若者に親はなく、山で木々を相手にはたらいている。女のほうも子はない。奉公先の反物屋で長いあいだ懸命につとめてきたが、いざこざで店を出ざるをえなかったのだ。

寂しさを胸に秘めながら、貧しくとも誠実に生きてきた二人が偶然出会い、ふと母子のように心を通わせる。交わされる優しさのあやとり。

その愛の様子は、なつかしい秋の山里を彩る夕日のごとく照り映える。

冒頭の作品の青い色、そしてこの作品の赤い色――それらをはじめとして、本書の著者はたぶん、読者の心を、さまざまな色の輝きで染めあげたいに違いない。

そして、都塵《とじん》でよごれた私の心も、たとえひとときにせよ、鮮やかな色合いに染められた。この本の読者は誰しも、同じような印象を持つのではないだろうか。

それにしても、こういった作品を、ケレン味なく真っすぐに、他の人々に届けるのは、いったいどういう心の持ち主なのだろう。

学問研究のかたわら小説執筆にとりくんだこともあるせいか、妙な感想がわいてくる。自分もこんな文章を書けたらいいだろうな、と。

むろん無理な注文である。文章技術の問題ではない。文章には、書き手の心を占めるイメージの流れ、その純度があらわれるからだ。

心の純度を保つことは難しい。忙しく現代生活をおくっていれば、幼い頃の気持ちなどとっくに忘れてしまい、しかもそのことに気づかないのだ。ただ時おり、なぜか胸の奥がきりりと痛む。

自分の心のありさまを直視してみて、自信がないと、とかく知識や文章技術に頼ろうとする。これは物書きの悪い癖だ。倫理的な言葉を直接つらねて、偽善のにおいがするのが怖いのである。

おそらく、この本の著者は、そういう迷いからすでに脱却しているのだろう。とても長い年月をかけて刊行にいたったとのこと。その心のたたずまいに、ふと思いをはせる。

人間の行動まで変える

『心を操る寄生生物　感情から文化・社会まで』（キャスリン・マコーリフ著、西田美緒子訳、インターシフト）

妙な夢を見た。宇宙探索から戻ってきたロケットに奇妙な微生物が付着していて、感染した地球上の生物は次々に死に絶えていく。あらゆる科学技術を総動員して対抗するが、手の施しようがない。残るは絶望だけ……。目が覚めて苦笑した。いかにもB級ＳＦめいた筋立てではないか。でもいったいなぜこんな夢を見たのだろう。

そういえば、小惑星探査機「はやぶさ2」が、はるかかなたの小惑星に着陸し、そこから物質サンプルを持ち帰ってくるという。また最近、米国の探査機が、別の小惑星の鉱物に水の成分があるというデータを観測したとのニュースも耳にした。生命の起源が解明されるかと世間は騒いでいるが、生命は元来、周囲を喰いながら増殖する凶暴性を持つ。悪夢をまねく恐れはゼロなのだろうか。

どうやらそんな心配は『心を操る寄生生物』を読んだせいだと合点がいった。これはいま話題の神経寄生生物学の啓蒙書である。

いや何とも困った話だ。動物の脳の中にさまざまな微小寄生生物が入りこみ、いつしか宿主の行動や性格を支配しはじめるというのだから。代表はトキソプラズマという単細胞生物。これはネコに寄生するが、その糞《ふん》を介して人間の脳にすみつくと、厄介なことになる。恐怖感が薄れて交通事故に遭いがちになるし、とくに女性では自殺しやすくなる。以前から、妊娠中だと胎児へ悪影響があることは知られていたが、行動まで変えるとは驚きだ。何と世界人口の約三割はこの寄生生物に感染しているとのこと。

とりわけゾッとするのは統合失調症とトキソプラズマの関係だ。歴史的には、ネコを飼う習慣が広まるとともに、統合失調症の発生率も急上昇した。統合失調症は遺伝と関係するという説もあるが、どうやらトキソプラズマ感染をふせぐ免疫能力が弱い遺伝子が受け継がれるらしい。

というわけで、ネコが好んで糞をする砂場は、清潔に保つことが大切なのですね。

それ以外にも、この本には示唆にとむことが幾つも書いてある。たとえば文化と寄生生物の関係だ。一般に感染症の発生率が高い地域では、人々は保守的になり、新しい経験をもとめず、集団主義的にふるまう傾向をもつ。そのほうが微生物感染の危険が減るためである。グローバリズムの到来とともに、米国流の冒険心や開放性、個人主義を見習えという声が高い。だが日本人の閉鎖性や集団的価値観は、もしかしたら、高温多湿の風土で安全に生き抜くための知恵だったのかもしれない。

いったい、われわれの心はどう動いているのか。――これまで自由意志や主体や責任といった概念は、法哲学や宗教、政治思想などから論じられてきた。近ごろはこれに、脳科学や認知心理学が参入しつつある。だが今後は、神経寄生生物学という新たな視点からの議論が必要になってくるのかもしれない。

「たぶん私たち自身が、無限大の超巨大野獣に潜む生命体なのだ。私たちが宇宙と呼ぶものは、怪物のゴロゴロうなる腸につまったガスの一粒のあぶくにすぎない。だから私たちが宇宙の複雑さと目的を理解できないのは、大腸菌が人間を動かしている仕組みを想像できないのと同じ」ことだと、著者は述べる。

大胆すぎる比喩だと反論したくなるが、問われているのは科学者の心そのものだ。現代では、宗教にかわって科学が絶対的に信奉されている。だが科学もやはり、人間という生物の限界を超えることはできないのである。

人間だけが特別な存在で、他の生物たちを勝手に管理したり利用したりできる、というのは全く傲慢不遜な思い込みだ。この国には昔から、さまざまな生命を畏れながらいつくしむ、共生の思想があったはずなのだが。

「独裁」復活の兆しの正体は

『ガルシア＝マルケス「東欧」を行く』（G・ガルシア＝マルケス著、木村榮一訳、新潮社）
『族長の秋　改訂新版』（G・ガルシア＝マルケス著、鼓直訳、集英社文庫）

ガルシア＝マルケスという名は忘れられない。一九七〇〜八〇年代にこの国でもラテンアメリカ文学ブームが起きた。コロンビアのこの作家はブームの旗手の一人である。ロシア文学やロマン・ロラン、トーマス・マンなどのリアルな長編を読みふけって少年時代を過ごした私にとって、その作品世界はまさに衝撃的だった。現実と幻想、猥雑《わいざつ》と崇高、残酷と優しさが超光速で入り交じる、濃密な魔術的リアリズム。ガルシア＝マルケスは『百年の孤独』で有名になりノーベル文学賞をうけたが、私の一番のお気に入りは、中南米の架空の独裁者の日常を非日常的な詩的文章でつづった『族長の秋』である。若い頃ラテンアメリカを旅行したのも、そういう読書体験のせいだった。

さて『ガルシア＝マルケス「東欧」を行く』は、作家が三十歳の一九五七年、東欧諸国とソ連を訪れたときのノンフィクションである。国際フェスティバルに参加するジャーナリストという肩書で、鉄のカーテンの向こう側にもぐりこんだのだ。

ドキュメントの行間から、当時は謎だった東側諸国の庶民の体臭が立ちのぼり、ぐいぐい引き込まれる。共産主義の受容の仕方はさまざまだ。秘密警察におびえる東ドイツ。権力にうまく対応するチェコスロバキア。不器用に誇りを保つポーランド。反抗の気迫を失わないハンガリー。そして何より、広大な大地にすべてをのみこむロシア（ソ連）。

共産主義者はこの本を読んで怒るだろう、「いや、これはマルキシズムじゃない、スターリニズムのせいなんだ」と。そして資本主義者はニヤッと笑うだろう、「可哀そうに。もっと早くこっちに来ればよかったのに」と。

だが、問題は政治思想ではないのだ。たしかに資本主義は勝利したが、今や人々はあえいでいる。金融操作と新自由主義が情報技術を駆使して万物をお金に変えてしまい、欲望の実体さえ見えなくなってしまった。人間はつまりはデータであり、アルゴリズムの操作対象にすぎないと厳かにのたまう歴史家（宗教家？）まで現れた。機械による空虚な独裁支配である。

このデータ至上主義に本能的に抵抗し、生身の独裁者を渇望する人々が世界のあちこちで反乱を起こそうとしているのが今の世相のようだ。

独裁者とは何か――それがガルシア＝マルケスの重要テーマである。独裁者といっても、べつに巨大な大魔神ではない。政治的野心はあるにせよ、極端な善人でも悪人でもない、普通の人なのだ。つまり、縦は二メートル以下、横も厚みも一メートル以下の、ちっぽけな物質にすぎない。だが、その日常生活における微妙な心の揺らぎが、何百万平方キロもの広大な大地、そこで暮らす何億もの人々にすさまじい影響を及ぼしてしまう。増幅装置は官僚機構と情報システムなのだ。その仕組みは現在もほとんど変わっていない。

この本には、ガルシア＝マルケスが、スターリンが葬られているモスクワの霊廟《れいびょう》を訪れたときの印象が記されている。もしかしたら、このとき作家は、独裁支配という奇怪な現象の本質を直観したのではないだろうか。今ひそかにささやかれる、独裁支配復活の兆しの正体とは？

ノンフィクションなのだが、どこか幻想的な文体である。頁を繰っていくと、魔術的リアリズムへとむかう息づかいがひしひしと感じられてくる。

人間とはなんと滑稽《こっけい》でグロテスクな生物なのだろうか……そうだ、もう一度『族長の秋』を読んでみよう。

AIに屈服、近未来の暗い隠喩

『2038　滅びにいたる門』（廣田尚久著、河出書房新社）

小説とは大説の反対語だと聞いたことがある。

大説というのはエラい人が天下国家について論じるテキストのこと。時の権力者が自らの政治的正統性を立証するために書かせる歴史書は、その典型だろう。一方、小説はフツーの人が身近な生活を描き、そこに深い人間的真実をもりこむテキストなのだ。

こういう小説観は近代のものだが、現代小説はおもに芥川賞型と直木賞型に分類されるような気がする。前者は従来にない斬新な文体表現を追求するが、後者は練達の筆で一般大衆を感動させようと努める。ともにプロの技だ。

だが、両者のいずれでもなく、別の分野の専門家が、今の世の中についてフィクション形式で批評的メッセージを発信する、という小説もあってよいのではないか。『2038　滅びにいたる門』を読んで、そんな感想を抱いた。

この近未来小説の著者は法律家だが、政治、宗教、経済など諸分野に通じた知識人のようだ。タイトルは新約聖書の「狭き門より入れ、滅びにいたる門は大きく、その路《みち》は広く、これより入る者多し」を踏まえている。舞台となっている二〇三八年は、人間がＡＩ（人工知能）に屈服する技術的特異点《シンギュラリティー》の到来予測より七年ほど早いが、最近の社会変化のスピードではあと二十年もしないうちに地獄がくるぞ、油断するな、という警告なのだろう。

そう、描かれるのはまさにディストピアである。

歴史家ユヴァル・ノア・ハラリが『ホモ・デウス』（二〇一五年）で予言したように、人間はごく少数の上層民と圧倒的多数の下層民に分断される。上層民はマネーゲームにうつつを抜かし、富を独占して酒池肉林の生活に溺れるばかり。下層民は地を這《は》うように生きているが、下手をするとたちまち棄民として環境汚染地域に追放されてしまう。棄民に人権など無い。棄民として捨てられないために、下層の人々は、腐敗した上層のお偉方の意向を忖度《そんたく》しつつ、卑屈に暮らさねばならない。とはいえ希望はある。棄民の集落では、人々が盲目のピアニストの音楽に耳を傾けながら、ひっそり暮らしている。その情景は美しい。

筋立てはなかなかスリリングだ。社会的決定を委ねられている「賢明」なはずのＡＩが、残虐で奇怪な殺戮《さつりく》指令を下すところから物語は始まる。まあ、その後の急テンポの展開は、読んでいただいた方がいいだろう。

著者のメッセージは明快である。そこには、人間とはいったい何か、という根源的問いかけが含まれている。

生物種のなかで、「共食い」つまり同種で殺しあう種は少ない。ヒトは特異な共食い動物なのだ。むろん、ヒトの中にも共存派はいて、数の上では殺戮派よりずっと多い。

「しかし」と棄民のリーダーは語る。「殺戮派は兵器を持っていますから、共存派は負けてしまうのですよね。戦争でなくても、兵器を背景にしてマネーや組織をあやつっていますから」「しかも、宗教は殺戮派に低頭し、嬉々《きき》として殺戮派の手先になっています。そしてＡＩは殺戮派の道具です」と。

この言葉をそのまま受け止めれば、違和感をおぼえる読者は少なくないだろう。ＡＩは平和利用もできるはず。それに、ここでいう宗教はユダヤ＝キリスト一神教だが、イエスは「狭き門より入れ」と堕落を戒めたではないか。

まさにその通り。だが、イエスの教えが捻《ね》じ曲げられ、殺戮派に悪用されてきたのは歴史的事実なのだ。

現代技術の持つ宗教的・哲学的背景の闇は深い。この小説はその暗い隠喩である。

凶暴な仕打ちやめ共生を

『魚たちの愛すべき知的生活　何を感じ、何を考え、どう行動するか』（ジョナサン・バルコム著、桃井緑美子訳、白揚社）

日本人は魚食民族だといわれている。美しく飾られた刺し身の盛り合わせからは、たしかにそんな印象をうける。

ところが私はどうも魚についての教養がとぼしい。切り身を眺めても、元の魚の形や名前が思い浮かばないのだ。食通と共に寿司屋にでも行けば、ウンチクの深さに恐れ入るばかり。中には食べるだけでは飽きたらず、釣りを通じて美味を求める人もいて、まるで山水画の太公望の風情。

だが魚についてのこういう教養は、あくまで「人間の側」からのものである。「魚の側」に立った教養もあっていいのではないか。

『魚たちの愛すべき知的生活』はまさに後者の最高の教養書である。この本を読めば、私に限らず誰しも、自分がいかに魚について無知なのかと衝撃をうけるだろう。

一言でいうと、魚は誤解されている。ペットのイヌやネコは、なでると温かく、表情もあるから、喜怒哀楽の感情を持つ知的な動物という気がする。一方、魚は冷たくて声も出さず、みな同じような顔で、何を考えているのか分からない。だから、生け作りとか躍り食いなどをしても、あまり胸が痛まないのだ。

魚に神経がないと思っている人は少ないだろう。だが、魚が何より「食料」だとすれば、その苦痛より味覚の方がずっと大事だということになる。人間のそういう傲慢な常識を、著者は最新の研究成果をもとに、ていねいに解きほぐしていく。

そう、魚が意識も感情もない愚かな原始的生物だというのは、途方もない間違いなのだ。魚は発達した大脳新皮質こそ持たないが、脳には同様の機能をはたす部位が存在し、心があると信じられる多様な行為をおこなう。

たとえば、満ち潮のときに泳ぎ回って地形を覚え、引き潮のとき安全な餌場に移る。これは十分知的な活動だ。さらに魚は個性を持ち、互いを認識し合っている。恋をし、子育てをする魚もいる。グッピーを飼っている人は、彼らが群れのなかでそれぞれ決まった地位を占め、一種の社会階層を形成していることに気づいているだろうか。

こうして魚たちにたいする評価は、本書をひもとくうちにすっかり変わっていく。代表例をあげよう。サメは凶暴な人食い魚で、せいぜいフカヒレスープの原料にしかならないというのは偏見そのもの。実はとても親しめる動物なのだ。サメと仲良しの女性ダイバーは述べている、「やさしい性質で、なでてほしくてわたしに近づいてくるんですよ」「サメとの関係は『無条件の』とか『無償の』という言葉の本当の意味を教えてくれます」と。

そんな魚たちに、われわれ人間は何と凶暴な仕打ちをしているのだろうか。いま地球上の魚の個体数は急減しているが、逆に消費量は増えている。漁業技術進歩のためだ。壊滅した漁場も少なくない。獲物が食料として活用されるならまだしも、網にかかった中で、お目当ての種類以外の魚たちは廃棄物として捨てられてしまう。一日あたりの総廃棄重量が一億キログラムに及ぶと聞けば、無残さに寒気がしてくるではないか。

「魚には魚の生活がある。魚はものではなく、生きて暮らしている」「恐怖やたのしさや痛みを感じ、遊び心もある」と著者は嘆く。

そろそろわれわれ人間も、「魚との共生」に本格的に取り組むべき時が来たのではないか。漁業だけでなく地球環境汚染も魚たちの生活を破壊している。これ以上の汚染をふせぎ他の生物との共生をめざすこと、そこにしか二十一世紀の活路は見いだせない。

第三の言葉、創造の努力重ね

『アリョーシャ年代記　春の夕べ』
『いのちの谷間　アリョーシャ年代記2』
『雲のかたみに　アリョーシャ年代記3』（いずれも工藤正廣著、未知谷）

小説をひもとく楽しみにはいろいろあるけれど、見知らぬ新たな世界が眼前にひらけてくる愉悦はその筆頭だ。

近年は、大都市のありふれた日常生活にひそむ異常者の心理などを題材にした小説が多いが、これも新しい世界の探求なのだろう。とはいえ、わざとらしく凝った仕掛けは意外とすぐに飽きがくる。

そうでなく、とてつもないスケールの異空間へごく自然に入っていける本格的な物語はどこかにないものか――『アリョーシャ年代記』三部作は、まさにそんな私の渇きを癒やしてくれる作品に他ならなかった。

舞台は中世十四世紀のロシア。主人公は父も母も行方知らずのまま、縹緲《ひょうびょう》たるロシアの大広野をさすらっていく美青年アリョーシャ。旅芸人の一座に加わって成長したが、十九歳になったとき、一座を抜けて孤立無援、自分探しの旅に出る。

「わたしはなんのために、このようにこの地上に生きているのか。わたしの生きる使命とは何か。何をしなければならないのか。そして真にわたしは何をしたいと望んでいるのか」と、繰り返し問いかけながら……。

こういう自分への問いかけは、忙しい現代日本に生きるわれわれも、同じくするものに違いない。だが、問いかけの有りようがかなり異なるように思えるのだ。いったい両者の違いはどこから来るのか？

基調をなすのは、ふしぎな詩的文体である。描写を区切る段落が少なく、三人称と一人称の文体がなめらかにつながり、入り混じって言葉がどこまでも流れていく。一歩一歩、アリョーシャが踏みしめていく大地の律動が、はるかな森や草原そして川面を吹き抜ける風の音と呼応する。そこに開けるのは、単なる叙情や叙景ではなく、こだまする宇宙の荘厳な神秘だ。

読み進むにつれ、さまざまな人物との出会いがあり、謎が少しずつ解かれ、そしてまた別のいりくんだ謎が立ち現れる。悠久に続いていくストーリーは、決して平穏無事なものではない。この世を清めるのだと豪語しつつ、抵抗できない女子供、病者を虐げ、傷つけ、命を奪っていく汚れた輩《やから》どもは後を絶たない。語られるのは古来の荒々しい人間の生きざまだ。

そんな世界において、祈りとは何だろうか。祈りとは、この世界を遥かに超えた方への願いの言葉である。そして、アリョーシャの耳には歌うような言葉が聞こえてくる。

「思い悩むことはありません。わたしたちはこの世の野辺を歩いて行き、そのとき野辺の花たちから、ほらあの人よと言われるように生きましょう」と。そして青年は夢のなかで小さな名も知らぬ花のささやきを聞き、聖像画家への道を歩んでいくのである。

著者はパステルナークの作品の翻訳で知られるロシア文学者であり、詩人でもある。私は若い頃、ロシア文学にはけっこう親しんだが、長すぎて読むのに骨が折れる作品も少なくなかった。この小説も三部作でロシア文学のように長大だが、割合にすらすらと読める。これはおそらく、日本人の体力や息の長さと関連しているのだろう。

ここでいう翻訳とは、外国語を日本語に移す機械的データ処理ではない。翻訳者は二つの異質な言語体系のなかに身をおき、苦心して新たな第三の言葉をつむぎだす。まさに真のコミュニケーションであり、機械ならぬ人間にしかできない創造行為なのだ。

著者は、生涯を通じて、そういう体験を営々と積み重ねてきたに違いない。その尊い努力が、この稀有《けう》の傑作として結実したのである。

若き精神科医、遺した質問状

『新増補版　心の傷を癒すということ　大災害と心のケア』（安克昌著、作品社）
『精神科医・安克昌さんが遺《のこ》したもの　大震災、心の傷、家族との最後の日々』（河村直哉著、作品社）

災害や疫病は、肉体だけでなく心にも容赦なく襲いかかる。物質的被害には何とか対処できても、精神的被害は目に見えないので実に厄介だ。

心のケアという言葉が広がったのは、一九九五年の阪神大震災の頃からである。『心の傷を癒すということ』は安克昌という不世出の精神科医が震災後に避難所を回り、被災者の心の救済にあたった記録である。産経新聞の連載記事「被災地のカルテ」がベースになっているが、ＮＨＫでドラマ化されたので（二〇二〇年一月〜二月）、ご記憶の方も多いだろう。

心の傷とかケアとかいう言葉はとかく安易に使われがちだ。しかし現場はもっとすさまじい。身近な人が無残に死んだのに、自分はなぜ生きているのか。「助けて」という声が常に耳元で響く……そんな被災者の心を、誰が「ケア」などできるだろうか。

安はプロの精神科医としてだけでなく、涙もろい一人の人間として、苦しむ被災者に寄り添い、獅子奮迅の活躍をつづけた。悩みつつ歩むその足取りは血のにじむほど痛々しいが、決してくじけない。

安は語る、「心的外傷から回復した人に、私は一種崇高ななにかを感じる。外傷体験によって失ったものはあまりに大きく、それを取り戻すことはできない。だが、それを乗り越えてさらに多くのものを成長させてゆく姿に接した時、私は人間に対する感動と敬意の念を新たにする」と。

だが、心身の過労は安の肉体を徐々にむしばんでいく。大震災から約六年後の二〇〇〇年十二月、安は三十九歳の若さで肝臓がんによりこの世を去った。すでに二人の子供がいたが、三人目の赤ちゃんが生まれた直後のことだった。

『精神科医・安克昌さんが遺したもの』は、安が家族とともに必死でがんと闘い、しかも精神科医として力尽きるまで診察をつづけた日々をつづった、優れたドキュメンタリーである。

著者は、かつて「被災地のカルテ」という連載記事を書くよう安に勧め、その名を世間に知らしめたジャーナリストである。

この著者が、安と同様、並の人物ではない。阪神大震災で亡くなった十四歳の少女の家族にロングインタビューし、死者の居場所を問いかけた、『百合』（国際通信社、一九九九年）という心打たれるドキュメンタリーの著者でもある。私はその美しく哀切なトーンを今でも覚えている。ニュースバリューばかりを追いかけ回すのがジャーナリズムではない。本当に世の中に伝える価値のあることに集中するジャーナリスト魂の持ち主もいるのだ。

ページを繰っていくと、『心の傷を癒すということ』とはまた違った意味で、涙がわいてくる。

がんが末期の状態で見つかったのは、安の妻が次の子を妊娠していると分かってしばらくしてからのことだった。安は入院を最小限に抑え、気力をふりしぼって患者の診察をつづけ、自宅で妻と幼い二人の子供、そして生まれてくる赤ちゃんと過ごした。産気づいた妻を産院に送り出したあと、タクシーでみずからが闘病していた病院に向かい、二日後に帰らぬ人となった。家族、友人、そして患者との温かな交流が、精神科医としてのプロの活動と分かちがたく結びついていたのだ。

安が地上に遺したもの、それはいったい何だろうか。

阪神大震災のあと、日本列島は次々に災厄に見舞われた。東日本大震災だけではない。記憶にのぼるだけでも、九州や西日本の豪雨、暴威を増していく台風、そして今やコロナ禍……。

いかにして自他の心を救うか。その質問状が、目の前でかすかにゆれている。

III　生成ＡＩは汎用知になるか——情報・自然・無常

チャットGPTの衝撃

デジタル技術の革新速度はすさまじいが、近年とくに大きな社会的注目をあびたのは生成型のAI（人工知能）である。二〇二二年十一月に公開されたチャットGPT（Generative Pre-trained Transformer）は疑いもなくその代表格だ。ネットから情報を検索しようと質問文を入力すると、すぐにまるで語学学習テキストのような回答文を出力してくれる。なんと経営学修士のテストさえ合格する能力だとのこと。ユーザー数はたちまち一億人を超え、「いつからAIはこんなに賢くなったんだ、新たな産業革命の幕開けをしめす大発明じゃないのか」という賞賛の大声が聞こえてくる。でも……いったいホントに有用な技術なのだろうか？

新聞連載が二〇二三年三月で終わり、調査する暇がなくてⅠ〜Ⅱ部でふれることができなかったので、本書の総括はまず、このチャットGPTから語り始めることにしよう。というのは、人間との対話能力が売り物のこの文章生成AIは、現在のデジタル科学技術文明の正負の両面をあざやかに映し出すからだ。とりわけ、グローバル化するアメリカ文明の潮流の中で迷走する日本の有様を、それは残酷なほど明確にえぐり出す。

実は生成AIとは、それほど目新しい技術ではない。外国語の翻訳文をつくる機械（自動）翻訳は半世紀以上前から研究開発されてきたし、文章だけでなく画像や映像などを、各種のデータをもとに作成する技術はすでに種々実行されている。チャットGPTは、マイクロソフト社がオープンAIという新興企業の技術を自社の検索ソフトに組み込み、市場で圧倒的優位を誇るグーグルの検索技術に対抗しようというビジネス戦略の一環にすぎないという醒めた見方もできる。生成AIの研究開発自体は、グーグル社など、さまざまな企業や研究機関で盛んになされてきたのだ。

チャットGPTをはじめ、文章生成AIの基本技術は、深層学習（deep learning）によるパターン認識だと言ってよい。文章とは単語の一列の並びだが、これは単語記号による一種のパターンとみなすことができる。膨大な文章データをパターンに分類し、統計的に処理して確率の高いパターンを抜きだし、出力すれば、それは世間で使われている典型的な文章になる。従来のパターン認識はパターンの特徴をいちいち人間が指示するので手間がかかったが、深層学習の場合、ほとんど指示なしで自動的にパターン分類ができるので、一挙に処理効率が増す。

むろん、これは原理的な話である。具体的には「大規模言語モデル（Large Language Model: LLM）」という統計処理にもとづく文章生成技術が、二〇一〇年代後半に集中的に研究され、チャットGPTのベースになっている。日本語や英語に限らずたくさんの言語で、質問に応じて直ちに滑らかな回答文を出力するのだから、その技術レベルは見事なものだ。ただ、こういう機能だから、「京都のおいしい料理屋を教えてください」といった平凡な質問には上手に答えるが、珍奇な質問には平気でとんでもない回答文を出力する。たとえば「僕は京都生まれでニシン蕎麦《そば》の味にはうるさいんだけど、葛飾柴又あたりでうまいニシン蕎麦を出す店はないかな？　できれば、クレオパトラとサザエさんを足して二で割ったみたいな若い子がいる店がいい」などと質問すれば、満足のいく回答は得られっこない……。

冗談はともかく、チャットGPTの生成する文章のなかに、明確な誤りや差別表現がふくまれる懸念はすでに指摘されている。何しろ、文章のあらわす意味内容には関係なく、単語の出現確率をもとに文章をつくるのが基本なのだから当然だろう。サイバー攻撃、偽ニュース、詐欺メールなどをバラまく犯罪者にとって便利なツールだという批判の声は高い。さらに、出力文が既存データのつぎはぎである以上、著作権問題も生じるだろう。

ゆえに、海外ではすでに、チャットGPTなどの生成AIを規制しようという動きも現れた。イタリアのデータ保護局は、早くも二〇二三年初め、チャットGPTの使用一時禁止を命じた。一般ユーザーと問答して学習を続けていく際、学習データに個人情報が含まれる可能性があるので、プライバシー保護の点で望ましくないというわけだ（その後に禁止を解除したのは、懸念が減ったせいか）。また、ＥＵ（欧州連合）は包括的な規制を検討中らしい。そのなかには、とりあえず、生成される出力文に「ウィズＡＩ」といったラベルを貼って社会的悪影響をふせぐ案もあると聞く。

一般に、英米ではデジタル技術の進歩を阻害しないため、ＥＵのような法的規制には後ろ向きだと言われる。他方、ＥＵの規制の動機として、米国によるＡＩビジネス独占への対抗意図を推測する見方もないではない。だが、生成ＡＩが暴走することへの懸念は米国内にもあるのだ。米国の非営利団体である「生命の未来研究所（Future of Life Institute）」は、約千三百人の署名を集め、「生成ＡＩの開発を一時中断せよ」という呼びかけを行った。署名したなかには著名なＡＩ研究者や企業家など一流の専門家もまじっている。意味内容に関係なく、統計処理で表向きもっともらしい文章をつくるチャットＧＰＴのような技術開発が暴走することの危険性を熟知しているからだろう。さらに、この技術の電力消費量は途方もないので、地球環境保護の観点からの批判もある。

チャットＧＰＴは極端な例だが、「人間のように賢い」と信じられがちなＡＩに対する警戒心は欧米でかなり強い。悪用で政治やビジネスの混乱が起きる恐れは大きいからだ。

ところで日本ではどうだろうか……。

西洋の自然観と科学技術

この国におけるチャットGPTへの期待は非常に大きい。その証拠に、岸田総理は二〇二三年四月、チャットGPTを開発した米国企業オープンAIのCEOであるサム・アルトマンと面談したとのこと。政府内でもデジタル庁をはじめ全般に、行政サービスにこれを活用すべきだという声が高いと聞く。政治家や高級官僚の国会答弁などに使えるということだろうか。AIに頼って発言責任をとらないのは困るが、既定路線の無難な答弁のお手本とするなら、参考になるかもしれない。

言うまでも無いが、政府の文書作成にチャットGPTを多用すると機密情報が洩れる恐れもあるし、不正確な表現で批判される恐れもある。そのあたりの懸念はこの国の専門家からも指摘されている。だが、それらが技術的・制度的に改善されれば、生成AIを大いに活用すべきだ、というのが大勢の意見ではないのか。

AIに対して、一般の日本人は相当に厚い信頼感を抱いている。米国の調査機関ピュー・リサーチ・センターが二〇一九〜二〇年に行った調査によると、「AIが社会に与える影響」は、米国では「良い」が四七％、「悪い」が四四％だったのに対し、日本では「良い」が六五％、「悪い」が一八％だった（毎日新聞夕刊、二〇二三年二月十六日）。米国では近年、

AIによる人間の機械化を警告する声が高くなってきたが（ダグラス・ラシュコフ『チームヒューマン』、『デジタル生存競争』、ボイジャー、前者は二〇二一年、後者は二〇二三年、など）、日本ではあまり聞かれない。ここには、きわめて重大な問題点が潜んでいる。いったいなぜ、欧米には日本より強い危機感があるのか？──AIの本質を正面から深く問うことなく、表面的な技術発展のもたらす目先の経済成長のみを求める後進国根性が日本人のAIへの信頼感の土壌だとすれば、二十一世紀のこの国の未来はきわめて危うい。

そこで本書では以下、思想史的観点からAIをとらえ直してみよう。

AI技術にも種々あるが、とくに注目するのは「夢の技術」といわれる「AGI（Artificial General Intelligence 汎用人工知能）」である。これは端的には、将棋や機械翻訳のような特殊目的の専用AIでなく、どんな分野にも適用できる汎用の思考機械のこと。チャットGPTのような生成AIが近々AGI実現への道をひらく、と勢いよく断言する専門家は少なくないのだ。

AGIの思想的ベースはいわゆる「超人間主義（trans-humanism）」である。超人間主義の基本思想を平たく言えば、人間をはじめ生命体以外の物質にも「本物の知性」が宿りうる、というもの。シリコンと金属でできたコンピューターのような物質のなかにも知性が宿ると見なす。逆に言うと、知性をそう定義するのである。技術発展とともにやがて人間より賢明になる、というあのシンギュラリティー仮説は、超人間主義がもたらした。コンピューターの能力は年々猛スピードで向上する一方、人間の脳の神経細胞は数も反応速度も限られているから、抜かれるのは当然だというわけである。

とはいえ直観的に考えると、知性とは、生物進化の過程で人類という生物種が生き抜くために誕生したもののはず。だから、生命のない物質に知性があるなど、世迷言だという気がするだろう。だが、超人間主義者は欧米のインテリにはたくさんいるし、AGI実現に邁進すべきだという意見はまことに根強い。いったいいかなる経緯でそうなったのか。

これは、宇宙の万物つまり「自然（nature）」のとらえ方と関連している。科学史家の伊東俊太郎によれば、中世のユダヤ＝キリスト教のもとで大きな思想史的転換が起こり、太古には一体だった神・人間・自然が、創造者と被造物に分離されたという。こうして、「神―人間―自然」という階層的秩序が出現した（伊東俊太郎『自然』、三省堂、一九九九年）。三者はそれぞれ、上位のために存在するものとして位置づけられる。自然は人間の「外なるもの」、さらに人間によって「支配されるもの」と化したのだ。

やがて、十七世紀の科学革命とともに、こういう自然観は、近代西欧的自然観の樹立につながっていく。伊東はここで二人のキーマンをあげている。第一は当然ながらデカルトだ。この哲学者により、「物体にひそむ生命原理」は排除されてしまった。自然は幾何学的な冷たい「延長」に還元され、宇宙は運動する微粒子の集合としてとらえられるようになった。一方で、人間のほうは、客体である自然を数量的に認知分析する「思惟（cogitatio）」の主体となった。いわゆる「機械論的自然観」の誕生である。

デカルトの機械的宇宙は周知のものだが、つぎに伊東が指摘する第二の人物として、英国の思想家フランシス・ベーコンに注目しなくてはならない。なぜなら、ベーコンは早くも十七世紀に、「人間により利用され支配さるべき自然」という、実践的・功利的な自然観をはっきりと提示したからである。

「人間の事物に対する支配はただ技術と科学のなかにのみある」とベーコンはのべ、自然を「人間に服従するもの」と見なした。支配するための手段として、自然の原理を明らかにする科学的実験が位置づけられる。現代科学者のなかには、実験による研究を「宇宙の謎をとくための中立な行為」だとナイーヴに主張する者がいるが、近代科学技術の源流にもともと支配的・功利的な面があることを忘れてはならない。「人類が自然を支配する権利を神から授かっている」というのは、「他の文化圏にはあり得ないキリスト教的な考え方である」

と伊東は明確に指摘している（同書、四十一頁）。

ここで、以上のような「機械論的自然観」と「自然支配理念」に加え、一種の「選民意識」があったことも指摘しておこう。科学技術によって神の使命を代行するのは、生物としての人間すべてではなく、神により選ばれた一部の民だけなのだ、という都合のよいリクツである。ユダヤ民族だけが神に選ばれて救われる、というのが古代ユダヤ教の選民意識の始まりだが、これが拡大され、一部の民が世界を導くべきだ、という議論と化したのだ。選民である自分たち以外の人間は、動植物とともに「モノ」として自然の側に分類されてしまう。分類された人々のなかに、かつては、有色人や女性や障碍者が含まれていたことを、ここであえて強調するまでもないだろう。

AGIのめざすもの

現代の超人間主義は、右にのべた西洋伝来の機械論的自然観と自然支配理念、さらに選民意識を明瞭にそなえている。「宇宙のわくわくする夢」などと言って、この国でも月や火星に行く計画が喧伝されているが、普通の人間は水も空気もないところには住めない。地球の自然が環境汚染で破滅しても、ノアの箱舟のようなロケットに乗り、選民だけ宇宙のどこかで生き残れるという計算なのだろうか。

むろん、デカルトやベーコンの時代から三百年あまりが経って、二人の主張と現代の超人間主義とのあいだに違いはある。神の姿はめっきり薄まったし、選民はもはや白人男性だけでなくなった。さらに付言すると、近代化のプロセスで、西洋文明のなかに生命を含むロマン主義的・包括的な世界観や、人間の世界認識能力の限界についての思索が生まれなかったわけではない（拙著『秘術としてのＡＩ思考』、筑摩書房、一九九〇年、などを参照）。だがそれらは主流となりえなかった。今の科学技術文明が、いわゆる素朴実在論にもとづいて神の眼差しを模倣しつつ、自然を機械論的にとらえ、支配と利用に狂奔していることは紛れもない事実なのだ。基本的理念は全く変わっていないのである。

ただここで肝心な点は、科学技術の分析や利用の対象が、天体といった分野だけでなく、人間の脳や心といった分野に拡大されたことだ。天体のように遠い対象なら、ひとまず「客体である自然」として人間が物理的に測定し、分析してもあまり問題は起きないかもしれない。しかし今や、自然を認知する「主体」のはずの人間そのものが、測定と分析の俎上に載せられ、さらに支配と利用の対象にされようとしているのである……。

ＡＩ、とくにチャットＧＰＴのような生成ＡＩがめざすＡＧＩとは、まさにそういう存在に他ならない。それは、人間行動の痕跡からなる膨大なデータを収集し、統計的に分析して、「あたかも人間がうみだすような情報」いやそれどころか「人間をしのぐ知的判断にもとづく情報」を出力する機械なのだ。超人間主義者とは、そういうＡＧＩを研究開発することが「人類の進歩」だと考えている奇怪な人たちなのである。

ただし超人間主義者にもいろいろあって、チャットＧＰＴのような生成ＡＩの暴走に警戒心をもつ人物もいる。前述の「生命の未来研究所」による「生成ＡＩの開発を一時中断せよ」という呼びかけ人のなかには、そんな人物も少なくない。つまり、ＡＧＩをめざす方向性自体はすばらしいが、いまのチャットＧＰＴの開発普及のやり方は性急で乱暴すぎるので、もう少し慎重に、ということだろう。

チャットＧＰＴの短期的な評価は別として、いずれにしても長期的には、ＡＩによって自然の支配効率をあげ、支配領域を拡大したいという超人間主義者の目標は厳然として一貫している。安全性にまだ不安のある生成ＡＩを下手に普及させて世間の大きな反発を招けば、かえって技術的進歩が阻害されるということだろうか。チャットＧＰＴを批判する議論には、そういうものが多い。

ここで、ベーコンが述べた、選民による自然の支配や利用という方針が、現在いかなる具体的かたちをとっているかについて簡単にふれておこう。支配といっても、かつてのように一部の権力階級が一般の人々を奴隷のように扱い、強制的に搾取するわけではない。市場にもとづく資本主義体制において、選民である企業や富裕階層が巧妙かつ効率的に法外な富をえる、という仕組みである。私財を保証し自由な経済活動を大前提とする、いわゆる新自由主義経済を想起すれば分かりやすいだろう。

経済活動はモノの市場価値にもとづいて行われるが、現在の市場価値の決定においては、ネットやテレビを中心とした関心経済（attention economy）の比重がますます高くなってきた。つまり広告やSNSでの評判によってモノの市場価値がほぼ決まってしまうのである。消費者の使用経験による需給関係から市場価値が決まれば経済合理的に問題ないのだろうが、人間はとかく噂や権威筋の評価に誘導されやすい。そして、世間に科学への信頼と敬意があるかぎり、生成AIの出力が市場価値に大きな影響をあたえることは自明である。

ところで、ネットにおける情報流通を事実上コントロールしているのが、GAFAMなどビッグテックとよばれる米国の巨大企業なのは周知の通り。そしてビッグテックに限らず、関連する様々な組織にとって、AIは消費者を誘導するまことに強力なツールとなるだろう。何しろ、AIの中身は幾らでも操作可能なのだし、AIは機械だから発言責任を問われなくて済む。それに、デジタル技術の万能性をとく超人間主義者の主張によれば、AIの発展形であるAGIはかならず「人間より賢くて正確な判断をする」はずなのだから。

自然のコンピューター・シミュレーション

AIとは端的には、「自然のコンピューター・シミュレーション」の一種に他ならない。あたかも神のように、宇宙世界のあらゆる事物（モノ）を俯瞰《ふかん》してモデルをつくり、得られたデータにもとづいて分析し、できれば最適解をえるのが、コンピューター・シミュレーションの目的である。そしてとくに、人間の知的活動をシミュレートするのがAIなのだ。より広く言えば、人間の心（意識）がシミュレーションの対象となる。「自分は心をもつロボットをつくっている」と大言壮語するAI研究者も珍しくない。

心のはたらきはさまざまだ。当初、一九五〇〜六〇年代のAIでは三段論法のような論理的機能が注目され、ついで一九八〇年代には法律や医学などの知識をあつかう記憶機能に重点が移ったが、いずれも実用化には壁が高かった。二〇一〇年代以降は、脳の感覚器官と連結したパターン認識に注目が集まっている。

ここで忘れてはならないのは、前述のように科学技術的には、それらの対象が、「客体としての自然」つまり人間の「外なるもの」と位置づけられてしまうこと。だが一方、客体を認知観察し、実験や分析をする「主体」はあくまで人間の心（意識）であり、それらは人間の「内なるもの」のはずなのだ。脳を物質として眺めることは可能だが、いくら脳を外側から観察測定し分析したところで、思考の内容や心の内部の詳細なイメージが分かるわけではない。それらは外からではなく、内から眺めないととらえられないのである。ならば、これは根本的な矛盾ではないだろうか……。

ＡＧＩ実現上の最大の難問がこうして出現する。今なお専門的な議論がつづいている難問なのだが、この問いから逃げずに真剣にとりくむことが、生成ＡＩの実用化において鍵を握ると私には思えるのである。

とりあえずここで、情報の学問において二つのパラダイム（理論的枠組み）があることを指摘しておこう。それは「コンピューティング・パラダイム」と「サイバネティック・パラダイム」である。第Ⅰ部で述べたように、それぞれの創始者は、二十世紀半ばに活躍した二人の数学者、ジョン・フォン・ノイマンとノーバート・ウィーナーだ。ともに天才でライバル関係にあったと言われるが、道徳的性格も対照的で、アプローチにもそれが現れている。

コンピューティング・パラダイムは文字通り、現在のデジタル情報技術のベースをなしている。それは宇宙世界の事物（モノ）を客観的に俯瞰し、データにもとづいて事物のあいだの論理的関係を分析し、効率的に最適な問題解決をはかろうとする。まさに「自然の支配と利用」という科学技術の王道をいくアプローチだ。このパラダイムがデジタル文明の成功をもたらしたことは間違いない。ただ、そうなると動植物のみならず、心をもつ人間も「モノ」と位置づけられてしまうから、下手をすると「人間が支配し利用する」のでなく、逆に「人間が支配され利用される」という次第になる。選民エリートは前者で一般大衆は後者、という議論は民主主義社会では建前上、成立しない。現在のAIはコンピューティング・パラダイムがうんだ精華なのだが、右に述べた難問をかかえこんでいる。チャットGPTをめぐる混乱は、難問の分かりやすい表出とも言えるだろう。

一方、サイバネティック・パラダイムは、同じ「利用する」でも、「生物が生きていくための利用」という立場に立つ。したがってそこには、人間が支配され利用される、という悪夢から逃れる方向が示されるのだ。ゆえに、コンピューティング・パラダイムとサイバネティック・パラダイムを架橋することで、難問解決の方向性が見えてくるのではないかという期待がうまれてくる。

サイバネティック・パラダイムのもとでは、世界の事物は「外側」からではなく「内側」

から観察されることになる。つまり、ある生物が生きていくために、環境世界をどう眺め、その観察にもとづいていかなる内面世界を構築して行動するか、が問われることになる。この内面世界は主観的なものだが、たとえば寒いときにエアコンの暖房をオンにして、体温の平衡状態をたもつフィードバック制御を考えると分かりやすいだろう。

ここで、生き物のなかに「意味（significance）」をもつ内面世界が出現していることに着目していただきたい。チャットGPTに限らず、AIが文章や画像の意味を理解しないという欠点は繰り返し指摘されてきた。その理由は、コンピューティング・パラダイムのもとでは、すべての対象が客観的・中立に観察されるからである。意味というのは、個別の生き物にとっての主観的な「価値（重要さ）」であり、本来、生きていく身体活動とともに成立するのだ。寒いからこそ、エアコンやストーブといった事物が「意味があるもの」として内面世界に現れるのである。人間の場合には、「寒さ」という生命的・身体的な意味が「エアコンをつけよう」という社会的な言語表現となり、さらにスイッチが押されてエアコンのなかで電子機械的信号と化していく。AIは電子機械的信号なら高速処理できるが、身体がない機械なので「寒さ」という生命的な意味など全然理解できない。サイバネティック・パラダイムにもとづくとき、はじめて「意味」理解への道がひらけるのだ。

とはいえ、サイバネティック・パラダイムが誕生した二十世紀半ばには、二つのパラダイムの境界は曖昧だった。ウィーナーが開始した古典サイバネティクスにおいては、生物の神経回路をコンピューターの電子機械回路と直結する指向があり、ゆえにそれは生命を機械化して人間機械論をもたらすという批判を招いたのである。

サイバネティック・パラダイムがコンピューティング・パラダイムから明確に分かれたのは、いわゆる「ネオ・サイバネティクス」、とくに一九七〇〜八〇年代に生物哲学者ウンベルト・マトゥラーナとその弟子フランシスコ・ヴァレラが構築した「オートポイエーシス(autopoiesis)理論」が誕生してからである。

オートとは「自分」、ポイエーシスとは「創ること」だから、これは「自己創出理論」と訳されることもある。オートポイエーシス理論は一種のシステム理論だが、これによってはじめて、生物はその他の事物と明確に区別されることになった。つまり、あらゆる生物は、みずから作り上げた意味世界に準拠し、時々刻々、意味世界を新たにつくりあげながら生きている「オートポイエティック・システム」なのだ。この点は、人間によって設計され、指示にしたがって作動しているコンピューターのような機械システムとはまったく異なっている。ゆえに「心をもつロボット」は実現困難なのである。

身体行為がつくる心と世界

オートポイエティック・システムの核心は「自律性（autonomy）」、つまり自分のシステム挙動を自分で決めることだ。記憶にもとづいて自己準拠的に作動することで主観的な閉じた意味世界が創出される。――と言えばなんだかムズカシそうだが、自分の心を考えれば明瞭だろう。心のなかの動きは原理的に自由である。どんな高尚な道徳的思索も、どんな野卑な妄想も、なんでも内心でグルグル考えられる。そこで時々刻々行われているのは、過去から現時点にいたる記憶の、自分流の動的な編集に他ならない。感情的なだけでなく知的な思考も、自分流に行うことが可能なのだ。

ただ、そうは言っても、社会の観点から人間の行動を眺めると、社会的ルールや慣習に従わねばならないので、他律的に束縛されていると見える面もある。そこに、論理処理や統計計算の得意なＡＩが入り込み、支配のために活動する余地が出てくるわけだ。こうしてコンピューティング・パラダイムとサイバネティック・パラダイムは接点をもつことになる。両者の架橋はそうたやすいものではないが、現在、私たちのグループが研究構築している基礎情報学はこのための学問であり、研究メンバーは奮闘中である。

基礎情報学の内容については別書にゆずり、本書では、右に述べたＡＩがかかえる難問に、ネオ・サイバネティクス研究者がどのようにアプローチしたのかを述べていくことにする。ＡＩというものの本質をそこから見て取ることができるからだ。

注目されるのは、オートポイエーシス理論の創始者の一人で、死ぬまでこの難問と格闘した生物哲学者ヴァレラである。その格闘の軌跡は、一九九一年に書かれた『身体化された心（The Embodied Mind）』に要約されている（田中靖夫による邦訳は、工作舎より二〇〇一年に刊行）。これは共同研究者であるエヴァン・トンプソンとエレノア・ロッシュとの共著だが、ヴァレラは自分のもっとも重要な著作とみなしたという。

晩年のヴァレラが尽力したのは、認知科学（cognitive science）の革新である。認知科学というのは、手短にいえば「心の科学」のこと。ＡＩをその工学的応用とみなすこともでき、両者の技術的内容はかなり重なっているが、ただ、認知科学は実用化よりむしろ人間の心（意識）の理論的探究に主眼がある。要するに心の有様をコンピューターでシミュレートして研究するのだが、脳科学研究が組み合わされる場合もある。脳の分析が心の分析につながるという前提なのだろう。

大切なのは、認知科学が、「心的表象（mental representation）」という概念にもとづいている点である。万象からなる外の世界の諸要素（対象）は、人間の心のなかに心的表象として映し出されているという考え方だ。具体的には心的表象は、対象ごとに単一のデジタル記号として表されることもあるし、ニューラルネットワークモデル（connectionism）のように多数のデジタル記号の統計分布で表されることもある。同書が書かれた頃、後者はまだ実用化されていなかったので、ヴァレラは主に前者について語っているが、ともに表象主義であることに変わりはない（現行ＡＩの大半は、両者が組み合わされている）。そして心の働きは、コンピューター内部でデジタルな論理計算としてシミュレートされるのだ。

ここで、表象主義においては、世界と心がそれぞれ「独立した存在」だと仮定されていることに気づかなくてはならない。固定した実体からなる宇宙世界が存在し、その有様を、これまた実体からなる心（意識）が認知観察している、という西洋の伝統的思考である。ここで対象が心の場合、前述のような、観察される客体と観察する主体の矛盾という難問が顔を出す。さらに、いったい心とは、世界を映し出せる鏡のような統一的な実体なのか、という疑問もあらわれる。

ヴァレラの指摘を待つまでもなく、直観的にも、心とは断片的で不統一であるような気がしないだろうか。自省してみても、確かに心は常に変化しており、論理的に一貫などしていない。つまらないことで刹那的に怒り狂ったり、すぐに優しい気持ちになったりする。感情的変動だけでなく、知的判断も揺れ動くことは日常茶飯事だろう。こうして、ヴァレラは、表象主義の否定に至るのだ。

代わって提示されるのは、人間の身体行為とともに、時々刻々、世界と心が相伴って出現する、という大胆な仮説である。

ヴァレラは述べる、「認知が所与の心による所与の世界の表象ではなく、むしろ世界の存在体が演じる様々な行為の歴史に基づいて世界と心を行為から産出すること（enactment）とする、ますます高まる確信を強調するために、『エナクティブ（enactive）』という用語を提唱したい」と。要するに、認知する心は、独立した世界を「表象する」のではなく、世界を「行為から産出する（enact）」のだ、という主張なのである。（同訳書、三十一、二百一頁）

こうしてヴァレラらによって提唱されたのが「エナクティブ認知科学」に他ならない。これはきわめて興味深い議論だ。そこでは、心のダイナミックスが自己循環的にとらえられており、ネオ・サイバネティクスの新たな領域を形成している。とはいえ、エナクティブ認知科学が今後、認知科学の主流となれるか否かについては正直いって疑問符がつく。固定的な実体（対象）からなる独立した客観世界（自然）の探究という西洋科学の伝統は非常に強固で、現在も続いているからだ（たとえば天体宇宙論や素粒子理論を考えればよい）。ただし、ここで注目されるのは、ヴァレラが東洋の古典的な仏教思想に着目している点である。同書には、二〜三世紀に、大乗仏教の根本思想をつくった南インドのナーガールジュナ（竜樹）が主張した中道思想が詳しく言及されている。「中道」というのは、素朴実在論者のいう絶対的実体とニヒリストのいう絶対的虚無をともに否定し、両者の中道が正しいとする考え方である。なるほど、そこには「身体的行為からの世界／心の産出」と通じる面がありそうだ。

とはいえ、二千年も前の初期仏教思想と現代デジタル技術思想との隔たりは途方もないし、ヴァレラの着眼はまことに驚くべきものだ。逆にいえば、だからこそ、自覚なしに漠然と西洋科学を信仰し、欧米を後追いしているわれわれ現代日本人の怠惰な眼を覚ましてくれるかもしれない。とりわけ、ここから、この国の科学技術研究の問題点、とりわけ、ＡＩの実用化に関わる難問をときほぐす光明が見えてくる可能性はないだろうか。以下、期待をこめてヴァレラの示した論点を掘り下げていこう。

東洋の「空観」

仏教が、ユダヤ＝キリスト教とは異なり、宇宙世界の起源や終末よりもむしろ、個々の生の苦しみからの解脱を説いたことは周知の通りである。苦しみは自分の枠にとらわれた欲望によって生じるものであり、ゆえに我執（自己執着）を離れよ、という仏の教えは、日本人なら誰でもみな耳にしたことがあるだろう。そこで凡夫も座禅を組んでみたりする。自己の欲望から解き放たれ、自由を得ようとするのである。

ヴァレラは瞑想《めいそう》によって達することができる「三昧《さんまい》」という、中道の理想について語る。このとき、バラバラに断片化された自己の心（執着心）を正しく観察し、顧みる知的能力をもてるというわけだ。心という統一的な自己を仮定し、そのなかに世界が映し出される、という従来の認知科学の前提を克服するために、確かに三昧への着目は有効な方向といえるだろう。三昧は単に苦をのがれる便法にとどまるものではない。より深遠な哲学と結びついているのである。

ナーガールジュナは、大乗仏教中観派《ちゅうがんは》の始祖である。その哲学思想は大乗仏教の根幹をなすと言われ、般若経にもとづく『中論』という書物などにあらわされているが、核心はいわゆる「空観（空の思想）」というものだ。あらゆる事物は空であり、固定的な実体をもたない、と見なすのが空観である。仏教学の泰斗である中村元によれば、空観という宇宙世界観を理論的に基礎づけたのがナーガールジュナだという（『空の論理』、中村元選集決定版、第二十二巻、春秋社、一九九四年）。

「全ては空しい」などと言うと、生活実感からの感情的な詠嘆だと受けとめられそうだ。だが、空観とはそうではなく、きわめて緻密な論理的考察を重ねて得られる宇宙世界観なのである。空観によると万象は固定的実体をもたないが、だからといってまったくの虚無だというわけではない。万象は「相互依存」しているという主張なのだ。

ここで「縁起」というキーワードが出現する。噛み砕いて言うとそれは、「全てのものは別のものに縁《よ》って生起し、存在する」ということ。常識的には、これは時間的な因果関係を連想させるだろう。時間軸上で、あることが原因で別のことが結果的に生じるというのは、西洋伝来の物理学とも一致する。しかし、空観の縁起とは、時間的因果関係より、さらに広いものなのだ。それは「万象は論理的に相互依存して存在する」という意味なのである。縁起を相互依存と解したのは、ナーガールジュナの独創だったと中村は指摘している（同書、百二十五頁）。

平たく言えば、地上の全ての人間や生き物、いや、あらゆる事物は互いに相互依存しつつ共存している、といったことなのだが、これはなかなか難解な思想である。そこでは、ニュートン力学の基礎をなす「運動」という概念さえ否定されてしまうのだ。ナーガールジュナは、「已去（すでに去ったもの）は去らない」、また「未去（まだ去らないもの）は去らない」、さらに「去時（現在去りつつあるもの）も去らない」、という有名な議論でこのことを論証している（同書、四十七〜六十八頁）。

「去る」とは、あるものが運動してあちらへ行ってしまうことだ。ここで、インド哲学においては、ある「対象」はその属性である「作用」と一体化して成立していることを念頭におこう。「已去」は行くという作用がすでに終わったものだし、「未去」というのは、行くという作用がまだ生じていないものだから、いずれもそれが「去る」という作用と結びつくはずはない。したがってともにありえないことは確かだ。問題は「現在去りつつあるもの（去時）」が去ることはありえるか、という命題である。これは、形式論理的には誤謬《ごびゅう》を含まないし、成立するような気がする。しかし、ナーガールジュナによると、「現在去りつつあるもの（去時）が去る」ためには、去時が「去る」という作用をもっていないことが条件となってしまう。すでに去時が「去る」という作用を有し、両者が結びついている以上、去時が再び「去る」とすると、二つの「去る」という作用を認めなくてはならないが、これは矛盾となるではないか――という議論を展開するのだ。ここで肝心なのは、「去る主体」と「去る作用」とがたがいに相俟《あいま》って成立している点である。

以上のように、空観においては、実体要素が自然法則のもとで組み合わさって宇宙秩序をつくっているという西洋の考え方とはまったく異なる宇宙世界が現れることになる。ニュートンの運動方程式さえ、否定されてしまう。このことは、近代科学からすると迷妄と位置づけられるかもしれない。だが、その反面、デカルトのように万物を抽象的な粒子と延長に還元する知、また、ベーコンのように部分的要素を組み合わせる知的探究を通じて自然を支配服従させる、という見方とはまったく異なる、斬新な世界観を拓くとも言えるだろう。

それは端的には、「一なるものによって一切を知ることができる」という相即円融の思想である。中村は次のように述べる、「一と一切とは別なものではない。極小において極大を認めることができる。きわめて微小なるもののうちに、全宇宙の神秘を見出し得る。各部分は全体的連関のなかにおける一部分にほかならないから、部分を通じて全体を見ることができる。じつに『中論』のめざす目的は全体的連関の建設であった」と。（同書、百三十九頁）

一切が縁起にもとづいて相互依存しているとすれば、「自己」もなくなり我執も消えていく。実体としての統一的自己がなければ、主体が客体を認知観察するという西洋の基本的な知の枠組みも怪しくなり、「心が心を観察する」という、「心の科学」やＡＩの抱えこんだ難問もどこかへ雲散霧消してしまう。身体行為から心と世界が生起すると主張するエナクティブ認知科学にとって、空観は参照項となるかもしれない。

では、難問を等閑視しながら強引に発展に突き進む、ＡＩをはじめとするデジタル科学技術の実用において、空観はどういう意義をもつだろうか。

「おのずから」と「みずから」

日本に仏教は五～六世紀に中国・朝鮮から伝来した。大乗仏教とひとくくりにされるが、宗派ごとの違いも小さくはない。とはいえ、西洋のユダヤ＝キリスト教的な宇宙世界観とはまったく異なる、「空」の思想がこの国にもたらされたことは確かである。高僧をはじめとする日本の知識人はその内容を理解する能力をもっていたが、ただ、万物が論理的に相互依存して存在しているというナーガールジュナの空観の哲学が、直接、一般の人々のあいだに広まったわけではなかった。むしろ縁起説は、「何事も関わりあいながら生じてくる」という、時間的な因果関係として直観的にとらえられたのではなかっただろうか。それはニュートンの運動方程式のような、静止した時間軸の上での数理的因果関係ではなく、流れゆく輪《りん》廻《ね》の時間のなかでの生活実感といったものだ。つまり、学問的論理というより、むしろ情緒的な生活実感として、「この世にとどまるものは何もない」「色即是空」といった、いわゆる無常とむすびつく空観である。そういう思いが一般人のあいだに醸成されていったのだ。

　西洋の宇宙世界観は、起源から終末にいたる。神が宇宙世界をつくり、そして終わらせるという古来の宗教観は古びてしまったが、現代の天体物理学でも、宇宙の発生が百数十億年前だなどと盛んに議論されている。そこでは時間軸がいわば静止しており、そのなかで時が一直線に進むのだ。一方、仏教によれば、輪廻転生という思想もあって、時間は円環のように永遠にグルグルめぐり続ける。静的時間と動的時間という二つのイメージはまったく異なることに留意しておこう。

　明治維新まで、日本人の伝統的な時間感覚は、後者が中心だった。人々は時々刻々、時間の流れのなかに容赦なく投げこまれ、ふりかかる天変地異はじめ諸々の予想外の出来事に襲われ、苦しみながら生きていかなくてはならない。こうして「無常感」とともに、「はかなさ」や「あはれ」といった独特の感覚が、共同体のなかで色濃く育っていった。

　関連して、相互依存という社会的意識があったことも肝心である。水田耕作では緻密で効率的な共同作業が不可欠だから、論理哲学というより社会的関係としての相互依存や互助活動は当然のものだった。互いに気持ちを通じさせ、以心伝心、無言で共同作業をするという伝統が、いわゆる「空気をよむ」という根強い慣習をもたらしたことは言うまでもない。

では、自然観はどうだっただろうか。四季変化のはげしい環境のなかで、かつての日本人は、天地（自然）を自己主体から切り離された客体と見なす代わりに、むしろ天地のなかに包含され、その動きと融合し一体となって生き抜こうとしたのではなかったか（たとえば、黛まどか『暮らしの中の二十四節気』、春陽堂書店、二〇二一年、などを参照）。そこには、自然を自己の「外なるもの」として服従させ支配する、といった思想など無い。

ここで、「自ら」という言葉に注目しよう。これは「おのずから」と「みずから」と二通りに読める。前者は、「自然に」という副詞が示すように、自然つまり天地のダイナミックスにより物事が起きる（成る）ということ。また後者は、人間の自由意志によって物事を引き起こす（為す）ということだ。

前者を客体、後者を主体に対応させるのが西洋近代の思考で、この二分法によって前述のAIの抱える難問まで出現してしまうのだが、日本の伝統思考では、両者を峻別せず、むしろその「あわい」に焦点をあてる。そこが興味深いところなのだ。

日本思想史家の竹内整一は、遺された古典を綿密にたどりながら、この問題を深く掘り下げている（竹内整一『「おのずから」と「みずから」』、ちくま学芸文庫、二〇二三年）。人間は日々、「みずから」の意志で行動し、生きていこうとするのだが、そこに「おのずから」のはたらきが介入してくる。それはしばしば、人間には不如意・不可抗な、生老病死や天変地異などの「無常」のはたらきだ。一回かぎりの身をまとい、生きて死んでいくわれわれが肌で感じるのが無常感にほかならない。

竹内は述べる、「無常感とは、まずもって相対有限のわれわれに耐えがたく苦しい現実の相」なのであり、「その相に、何らかのかたちでその相を超えた『おのずから』の働きが重ね感得されたとき、そこに、それぞれに応じた、ある肯定が引き出されてくる」「無常をかこつ『みずから』が、そこに同時に『おのずから』の働きを見いだしたときに、それをそれでよしとする肯定的な感慨・興趣を味わうことができる」と（同書、六十九～七十頁）。

これは大事な点だ。「おのずから」には、暴力的威圧だけでなく大いなる慈愛もふくまれているし、そう感得することが肯定につながる。こうして、「みずから」と「おのずから」のあわいに芽生えてくるのは、両者の相即、重ね合わせを感じとる繊細な生活感覚なのである。まさに「みずからがおのずからであり、おのずからがみずからである境界」であり、古来、たくさんの日本人がそこに、「あはれ」や「面白さ」を見いだしてきたことを忘れてはならない。

事情が変わったのは、明治維新以後に西洋の科学技術文化が到来してからである。開国とともに、「自然（nature）」という名詞概念が輸入され、「自然科学（natural science）」といった用語とともに二十世紀はじめに定着していった。この「自然」が、右に述べた「おのずから」と根本的に異質なことは言うまでもない。もともと、中国から入ってきた「自然」という言葉は「おのずから（人為なしに）」という副詞で、物質的な宇宙世界という名詞ではなかったのだが、なぜか両者が並存することになったのだ（なお、今の中国にもこの並存状況はあるが、これはどうやら近代日本語からの逆輸入らしい）。

科学史家の伊東俊太郎はこの概念的並存（二重性）を批判している。確かに首をかしげる点なのだが、私見では、この並存状況を見つめることから、二十一世紀の日本が陥ろうとしている悪夢から覚める道が見えてくるような気もするのだ。

一言でいえば、この国の科学技術者は明治以来、二つの異なる概念をたくみに使い分けながら暮らしてきた。私はコンピューター・エンジニアだった若い頃、仕事ではきわめて西洋流の論理操作にたけた人物が、人間関係や私生活では何とも浪花節的だという、不思議なギャップに驚いた経験がある。そういう人物がこの国の科学技術開発のリーダーになるのだ。

仕事と生活で自然観をがらりと変えるのは、一言でいえば「和魂洋才」ということか。欧米技術の後追いと改良に徹するなら、なかなか見事な戦略ともいえる。

だが、少なくともデジタルな情報通信技術に関する限り、明治開国以来のその戦略が二十一世紀の今日、もはや通用しなくなってきた、というのが私の強い印象なのである。以下、この点について述べることにしよう。

鉄腕アトムとAI俳句

明治開国以来、日本人は自然観の二重性（概念的並存）を無視し、仕事上のタテマエは洋風を従順にとりいれ、ホンネの心情は和風をなるべく保つという生活習慣を身につけた。だが、この和魂洋才には、かならずしも万人が納得するとは限らない。あちこちで綻びや亀裂も走るし、二重性解消の希望も現れる。思いつくままに例をあげてみよう。

日本人がロボットに親近感をいだくことはよく知られている。すでに半世紀前から、この国のロボット技術は国際的にも群をぬいており、研究開発にたずさわる人数も多かった。関連するが、手塚治虫の漫画『鉄腕アトム』は大人気で、ロボット工学者の中には幼い頃にファンだったという人も少なくない。単に仕事でロボットをつくるだけでなく、親近感を自分の心情と結びつけたいのか、日本文化はロボットと反りが合うという声もよく聞く。欧米人がロボットに抱く宗教的畏怖感は、確かに日本人には無い。とはいえ、「おのずからとみずからのあわい」に目をむける伝統的な心情は、ロボットへの親近感からは遠い。やはり、この国のロボット技術を支える心情の中核は、欧米由来の科学技術への熱い憧憬だろう。

海外からみると、日本人がなぜ鉄腕アトムを大好きなのか、理解しにくいようだ。というのは、言うまでもなく、この国が唯一の核兵器の被爆国だからである。鉄腕アトムの英訳としては「atomic boy」とか「mighty atom」などが頭に浮かぶが、それらは「原爆(atomic bomb)」を連想させるので、米語では「astro boy」らしい。米国には、何十万人もの非戦闘員の老若男女がまるで実験動物のように虐殺されたヒロシマ・ナガサキの悲劇に罪悪感をもつ人々も多いので、この訳語が生まれたのだろう。だが、鉄腕アトムは原子力エネルギーで動くロボットであり、可愛い妹ロボットの名は「ウランちゃん」なのである。ということは、日本人は、量子物理学はもちろん原子力技術をヒロシマ・ナガサキの惨劇と結びつける想像力さえ乏しいのかもしれない。

太平洋戦争が終わったとき、敗北した理由は米国の卓越した科学技術力のためであり、ゆえにその内容を速やかに学んで国土を復興したいと望んだ日本人は多かった。原子力技術も平和利用ならよいだろうというわけである。こうして鉄腕アトムの活躍に喝采がおくられたのだ。しかし、原爆という悪魔的兵器を製造した知そのものを根底から洞察する批判精神をわれわれが持たないこと——この欠如こそ、日本が唯一の被爆国として核兵器廃絶運動の国際的リーダーシップをとれない主要因の一つではないだろうか。

和魂洋才という二重性解消をめざすのは鉄腕アトムだけではない。典型例は、いま注目を集めている「AI俳句」、つまりAIに句作をやらせようという試みである。

コンピューターに芸術的創造ができるか、という問いかけは昔からなされてきた。超人間主義者はむろん肯定的に答えるだろう。私がスタンフォード大学にいた四十年あまり前、AI研究者によるコンピューター音楽会もひらかれた（まったく感動しなかったが）。音・画像・文字列などはコンピューターにとってすべてデジタル記号のパターンであり、二〇一〇年代に実用化された深層学習技術はパターンの分類や生成が得意だから、現行AIに芸術的創造をやらせるという機運が盛り上がっているのも無理はない。

AIがすべて自力で小説のような長大な文章をつくるのはなかなか難しいが、短い文章ならなんとかなる、といった意見をのべる研究者もいる。事実、チャットGPTは割合に長い文章を作成しているのだ。十七字くらいの俳句なら大丈夫だろう、ということになる。俳句は身近な生活感を詠む国民的な芸術活動だから、和魂洋才の溝を解消する試みとしてＡＩ俳句を位置づけること自体は不思議ではない。とはいえ、たとえＡＩが、表面上は俳句の形をした単語列をどんどん出力したとして、それは真の芸術作品、ホンモノの詩だと言えるのだろうか？

ＡＩ俳句の試みはいろいろなされている。なかでもよく知られているのは、北海道大学と協力諸団体による研究プロジェクト「一茶くん」だ。これは、小林一茶、正岡子規、高浜虚子などの作品を集めたデータベースをＡＩが学習し、画像と文字列が結びつけられたマッチングデータをもとに、ＡＩが画像の情景に応じた俳句をつくるのである。深層学習技術が駆使され、ちゃんと季語や切れ字も勘案した処理を行う。なかなか上手で、「感心した」という感想も聞いたことがある。ただし基本的に「一茶くん」が実行しているのは、データを統計処理して、確率計算をもとに単語を並べることだけ。単語のもつイメージとは無縁なのだから、はたしてそれを句作と呼べるかどうかには強い疑問符がつく。

問題は、ＡＩ俳句のような実験によって、日本の自然観と西洋の自然観とを架橋できるのか、ということだ。詩人の大岡信は、すでに半世紀ほど前、この点について「理性は、自然的な存在であるところの人間のうちに働く偉大な反自然の力である」という鋭い指摘をしている（大岡信『肉眼の思想』、中公文庫、一九七九年）。そして、理性の意義を認めつつも、生きた肉体（身体）から遊離した言葉による呪縛を警告するのだ。ここで大岡のいう「自然」とは、人間をつつむ包括的自然であり、デカルトの提示した幾何学的宇宙世界のことではない。人間の理性的な能力を自動化した形式論理処理機械がコンピューターだから、生きた肉体の経験やイメージと結びつかないその出力は詩的作品ではない、という否定的見解が出てくるだろう。

対照的に大岡が着目するのは宮沢賢治の作品である。描き出されるのは有名な「イーハトーヴォ」という不思議な世界。そこは岩手県でありながら、草木や生き物がそれぞれ、賢治の肉体と想像力をつうじた「命名」によって変貌し、イーハトーヴォというあらたな世界で実在性を獲得する。この命名こそ、生き物の真のコミュニケーションをつかさどる「原言語」ではないのか。

賢治の作品「なめとこ山の熊」で、熊捕り名人小十郎の耳に突然聞こえてくる熊の母子の対話――まさに、そういう原言語のありさまを、肉体に湧き上がるイメージをもって具体的に語るのが「詩」なのだ。言語芸術の可能性は、『命名』という、言葉のもっとも初源的な機能を、今日いかに回復し、かつ充実した力と、恍惚をともなった心のふるえをもってなしとげうるか、にかかっている」と大岡は断言する（同書、百三十九頁）。

俳句を詠むとは、本来、そういう命名行為のはずだ。まさしくヴァレラが言ったように、「身体行為から心と世界が産出される」のである。とすれば、過去の偉い俳人が詠んだ文字列をデータとして機械的に情報処理し、その出力を「俳句」と称するなど、愚行でなければいったい何なのか……。

以上のように、和魂洋才という二重性を解消し、二つの異なる自然観を架橋することはなかなか難しい。鉄腕アトムのテーマソングを歌いながらＡＩ俳句を面白がる精神は、いつしか、ヒロシマ・ナガサキの血だらけで皮膚が剝がれた死傷者を「有益な生物データ」として統計分析する研究精神そっくりになっていくのである。

では、ＡＩを中心とするデジタル化によって、われわれはどこへ向かおうとしているのだろうか。

情報と自然をとらえ直す

コンピューター技術が米国中心に開花したのは二十世紀半ばだったが、日本はうまくこれをとりいれ、一九八〇年代まで、この国のデジタル化はひとまず上首尾だったといって過言ではない。メインフレームとよばれる非常に高価な大型汎用コンピューターを所有できたのは政府や大企業ばかりで、アクセスして操作するユーザーもプロだけだったが、独創性はともかく性能や信頼性において、日本の技術レベルは米国に肩を並べるほど高かった。このことは、銀行オンライン・システムや大規模オペレーティング・システムなど、メインフレーム・システムの研究開発を現場で眺めてきた私の実感である。和魂洋才の成功例と言えるだろう。だが現在はどうだろうか。

二〇二二年の世界デジタル競争力ランキングにおいて、日本は六十三カ国（地域）中で第二十九位、欧米はもちろんアジア諸国にも劣っている。二十一世紀のいま、日本がデジタル後進国だという国際評価はもはや定着した感があるのだ。それでこの国の産官学リーダーたちは躍起になってＤＸ（digital transformation）の旗をふっているのだが、どうも私には、彼らが本当の原因を見抜いていないという気がしてならない。

日本のデジタル化が進まない最大の原因は、技術者の能力が低いからではなく、開発側と発注側の意思疎通が悪いからでもない。この国の伝統的な社会的・文化的な価値観が、現在のオープンなインターネットの価値観と食い違っているからなのだ。

かつて日本のメインフレーム・システムが優秀だったのは、それがプロしかアクセスできないクローズドなデジタル・システムだったからである。チームメンバーによる開発保守作業とは、いわば村落で品質の良いコメを作る協同作業のようなもの。そこには膨大な試行テストと努力、そして細かい工夫が積み重ねられている。当然、システムの開発には時間もコストもかかるが、品質は優れており、たやすく障害が起きることはない。

一方、現在のインターネットはオープンで、誰もがアクセスでき、アプリは多少間違いがあっても、安く、早く売り出す方が勝ちだ。間違いはユーザーが皆で使いながら修正していけばよいという、米国流のボトムアップの考え方がそこにはある。これは、「トップダウンのお上の指令には忠実に従うが、その内容は精確できちんとしてほしい」という日本人の生活意識と根本的に食い違う。例えば、マイナ保険証を使うと、犯罪者に医療情報が洩れたり、登録ミスで受診拒否されたりする可能性はゼロだ、とお上は保証してくれるのか……。

要するに、DXと呼ばれる現在のデジタル化は、従来のコンピューター化とは性格がまったく違うのだ。それは一般人の社会・経済の細部の仕組みに浸透し、生活意識まで変えてしまう。慣れたサービスも次々にネットサービスに置き換えられていく。もはや和魂洋才の戦略は通用しないのである（拙著『超デジタル世界』、岩波新書、二〇二三年、参照）。

日本人もアメリカ化すればよいではないか、という意見もあるだろう。だが、お手本の米国社会も、経済格差拡大にともなう民主主義の危機で揺れている。そもそも、数百年染みついた社会的価値観を変えるのは簡単ではないし、手間も時間もかかるはず。性急にゴリ押しすれば、大変な混乱が起き、犠牲者が頻出する恐れがある。すでにその兆候はある。マイナ保険証の迷走ぶりだけでなく、ネットにはびこる匿名の中傷誹謗やイジメ、毎日押し寄せる詐欺情報などを想起すれば十分だろう。

なにも百年前の村落意識に戻れ、などと世迷言をいうつもりはない。だが、二十一世紀に入って、人々が緩やかにつながっていた地域、企業、家族などの共同体は残酷なまでに分断されつつある。新自由主義経済のもとで独立した個人の利得追求だけが奨励され、ごく少数の勝ち組エリートをのぞけば、圧倒的多数の負け組がうろつく荒野が広がろうとしているのだ。ＤＸは何をめざしているのか。効率化とはいったい誰のためなのか……。

この国の産官学エリートは、なぜ、欧米由来の科学技術を絶対的に崇拝しひたすら追随するだけなのか、と首をかしげたくなる。それが豊かな物質文明をうんだことは確かだが、核兵器や地球環境破壊といった致命的災厄をもたらした。「人間のために自然を支配し服従させる」という当初からの意図が、ひるがえって人間自体をモノ化し、生命活動を決定的に脅かしている。そういう冷厳な事実をもっと直視すべきなのである。

デジタル文明を推進している超人間主義者たちは、人間を超えた知性の出現を待望しているようだ。機械に宿る超知性こそ、「ＡＧＩ（汎用人工知能）」なのかもしれない。だが、それは彼らが、「知」というものの本質を取り違えているからではないのか。知とは本来、生物が地上の苦悩のなかで生き続けるためのノウハウであり、デジタル技術など、進化史における膨大な知的蓄積のごく一部の表層にすぎないのだ。ヴァレラが着目した仏教の「空観」は、まったく異なる知の次元を開示している。もし、超人間主義者がひそかに、自分たち選民だけは火星かどこかの星で生きていこうと目論んでいるなら、われわれは「宇宙旅行でわくわくする」かわりに、彼らのオゾマシイ計画の欺瞞《ぎまん》を暴き出さなくてはならない。

最後に、具体的なテーマとして、チャットＧＰＴに代表される生成ＡＩについて付言しておこう。諸国の懸念に反して、この国では促進のイケイケ大合唱のようだが、いったい何を求めて焦っているのだろうか。「技術進歩を妨害するな」と叫ぶエゴむき出しの幼児的妄言は論外として、フェイク情報拡散、プライバシー侵害、著作権侵害などへの対策はむろん急務だろう。だが、問題の根はなおいっそう深いのではないか。

生成ＡＩ技術は、端的には「言語（や画像）の機械的標準化」をもたらす。その結果、生きた共感コミュニケーションがみるみる衰えてしまう。チャットＧＰＴは文法や慣用語法の知識をふまえて膨大なデータを統計分析し、確率の高い単語をならべて文章をつくる技術だ。出力されるのは「よくある平凡な文章」ばかりで、それは当然、発言の意味内容の奥にある意図や感情とはまったく無関係である。以心伝心といった日本の伝統的なコミュニケーションは、もともと明示的な言語表現の奥に隠された「真意」の察知にもとづくものだから、言語の機械的標準化はそういう文化を徹底的に破壊しつくすだろう。文章作成の手間がはぶけるといった「効率向上」の代償は、合理的思考力や大局的判断力の低下だけではないのだ。

標準語は近代国家とともに成立した。だが、レヴィ＝ストロースがサルトルを批判したように、近代化は地球上の多様なローカル文化を西欧文化によって破壊する行為でもあった。この反省から多様性を重んじる二十世紀末のポストモダニズムが開花したのに、ふたたび生成ＡＩは経済効率の名のもとに、あらたな文化侵略を引き起こそうとしているのである。

切実な気持ちがこもった個性的文章は消滅していくだろう。なぜなら言語コミュニケーションとは本来、身体行為がつくる意味にもとづく「生命的な情報」がベースなのに、生成ＡＩは意味形成と関わりなく、単にデジタル・データという「機械的な情報」を形式的に高速操作しているにすぎないからだ。「生成ＡＩの先にＡＧＩが見える」といった宣伝文句は、効率的搾取のための悪質な幻惑といえる。

いそいそと新種の支配に屈従する前に、われわれが生命的な自然観をふりかえり、情報概念について熟考すべきことは多いのではないだろうか。読者諸賢は、拙著『新 基礎情報学』（NTT出版、二〇二一年）や、西田洋平『人間非機械論』（講談社選書メチエ、二〇二三年）などを参照しつつ、情報通信技術の望ましい活用をふくめた長期的ビジョンを見いだしていただきたい。

〈謝辞〉

最後になったが、毎日新聞学芸部の大井浩一さんには、足かけ五年にわたる連載をつうじ、筆舌につくせぬほどお世話になった。編集の労をとって下さった毎日新聞出版編集部の宮里潤さん、そして長年にわたり執筆活動を支えてくれた家族とともに、ここで心から御礼を申し上げる。

二〇二三年八月

西垣通

初出一覧

I　科学技術と人間

1　AIの論理をえぐる

情報とは何か　「毎日新聞」二〇二一年七月七日夕刊
宇宙開発と「生命誕生の謎」　同二〇二二年一月五日夕刊
立花隆『宇宙からの帰還』を読む　同二〇二二年二月二日夕刊
三島由紀夫と国語改革　同二〇二二年三月二日夕刊
量子コンピューターの可能性　同二〇二二年四月六日夕刊
「観察者効果」の意外な意味　同二〇二二年五月二日夕刊
AI俳句をめぐって　同二〇二二年九月七日夕刊
バイオエピステモロジーの問い　同二〇二二年十月五日夕刊
機械翻訳と外国語学習　同二〇二二年十一月二日夕刊
脳科学へのAIの活用　同二〇二三年一月四日夕刊
AIの弱点、克服するために　同二〇二三年三月一日夕刊

2　人間はデータではない

日本学術会議問題の背景　同二〇二一年四月七日夕刊
「ソサエティー5・0」の落とし穴　同二〇二一年五月六日夕刊
銀行システム障害の深層　同二〇二一年六月二日夕刊
天才フォン・ノイマンの悪魔的価値観　同二〇二一年八月十一日夕刊
「GIGAスクール」教育への懸念　同二〇二一年九月一日夕刊
デジタル庁への疑問　同二〇二一年十月六日夕刊

米中宇宙開発競争の意味　同二〇二一年十一月四日夕刊
脱炭素エネルギーへの対応　同二〇二二年六月一日夕刊
日本の「デジタル敗戦」を考える　同二〇二二年七月六日夕刊
DXとアメリカニズム　同二〇二二年八月三日夕刊
サイバー戦争と安全保障　同二〇二三年二月一日夕刊

II　読書日記

1　人間のモノ化に抗う
根が深い「反動」的世相　「毎日新聞」二〇一八年四月十日夕刊
文理の溝またぐ「新実在論」　同二〇一八年五月八日夕刊
知識があふれる現代の病弊　同二〇一八年八月七日夕刊
生産中心主義への批判　同二〇一八年九月四日夕刊
生命現象めぐる大胆な仮説　同二〇一八年十月三十日夕刊
文化的存在としての科学　同二〇一八年十一月二十七日夕刊
道徳なく利追う社会に懸念　同二〇一九年五月二十八日夕刊
人間を「モノ」と見なすのか　同二〇一九年六月二十五日夕刊
今、死の重みを正面から　同二〇二〇年四月二十一日夕刊
人間の尊厳につながる自由　同二〇二〇年五月二十六日夕刊

2　科学の限界を知る
翻訳は共感的な行為である　同二〇一九年三月二十六日夕刊
AI万能論、罠に敏感に　同二〇一九年四月二十三日夕刊
滅亡へ突進する人間の愚かさ　同二〇一九年九月十七日夕刊

人間を機械として使う不安　同二〇一九年十月十五日夕刊
科学と利益追求、強まる癒着　同二〇一九年十一月十九日夕刊
自由意志、「外部」感じ可能に　同二〇二〇年一月二十一日夕刊
科学への信頼、根幹に目を　同二〇二〇年二月二十五日夕刊
文理融合、若手が問う自律性　同二〇二〇年三月二十四日夕刊
未知の病原体、ＳＦと現代　同二〇二〇年七月二十一日夕刊
「新たな従属」に抗する道標　同二〇二〇年八月十八日夕刊
持続可能な日本、地方分散で　同二〇二〇年九月十五日夕刊

3

共生の道を探る
中世ユダヤ人の冒険物語　同二〇一八年六月五日夕刊
大国に踏みにじられた悲劇　同二〇一八年七月十日夕刊
誇り高き鳥の悲しい運命　同二〇一八年十月二日夕刊
鮮やかな色合い、巧みな構成　同二〇一八年十二月二十五日夕刊
人間の行動まで変える　同二〇一九年一月二十九日夕刊
「独裁」復活の兆しの正体は　同二〇一九年二月二十六日夕刊
ＡＩに屈服、近未来の暗い隠喩　同二〇一九年七月二十三日夕刊
凶暴な仕打ちやめ共生を　同二〇一九年八月二十日夕刊
第三の言葉、創造の努力重ね　同二〇一九年十二月十七日夕刊
若き精神科医、遺した質問状　同二〇二〇年六月二十三日夕刊

Ⅲ　生成ＡＩは汎用知になるか
書き下ろし

西垣通（にしがき・とおる）
一九四八年生まれ。工学博士。東京大学名誉教授。日立製作所主任研究員、明治大学教授、東京大学大学院教授、東京経済大学教授を歴任。専攻は情報学、メディア論。著書に『超デジタル世界』『ウェブ社会をどう生きるか』『デジタル・ナルシス』『基礎情報学（正・続・新）』『AI原論』『ビッグデータと人工知能』など多数。

デジタル社会《しゃかい》の罠《わな》　生成《せいせい》AIは日本《にほん》をどう変《か》えるか

印刷　2023年10月20日
発行　2023年11月1日

著者　西垣通《にしがきとおる》
発行人　小島明日奈
発行所　毎日新聞出版
〒102-0074
東京都千代田区九段南1-6-17 千代田会館5階
営業本部　03-6265-6941
図書編集部　03-6265-6745
印刷・製本　光邦

ISBN 978-4-620-32793-8